Guidebook of
Single-Operator Cholangioscopy

SOC

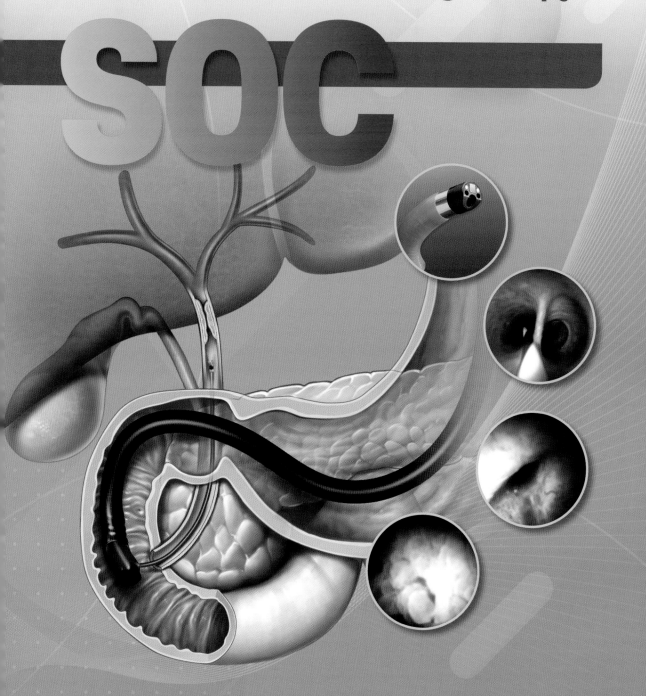

Guidebook of
Single-Operator Cholangioscopy
SOC

첫째판 1쇄 인쇄	|	2022년 03월 16일
첫째판 1쇄 발행	|	2022년 04월 15일

지 은 이　대한췌장담도학회, 보스톤사이언티픽코리아
발 행 인　장주연
출 판 기 획　김도성
출 판 편 집　이민지
편집디자인　양은정
표지디자인　김재욱
일 러 스 트　이호현
제 작 담 당　이순호
발 행 처　군자출판사(주)
　　　　　등록 제4-139호(1991. 6. 24)
　　　　　본사 (10881) 파주출판단지 경기도 파주시 회동길 338(서패동 474-1)
　　　　　전화 (031) 943-1888　　팩스 (031) 955-9545
　　　　　홈페이지 | www.koonja.co.kr

ISBN 979-11-5955-862-7

정가　35,000원

내시경역행성담췌관조영술(endoscopic retrograde cholangiopancreatograpy, ERCP)은 1972년 소개된 이래 담도 및 췌장 질환의 진단과 치료에 중추적인 역할을 담당해오고 있습니다. 그러나 ERCP는 문자 그대로 조영술로, X-ray 불투과성 조영제를 담도 및 췌관의 관강내로 투여함으로써 X-ray 투과 영상을 통해 얻는 이중 대조 음영으로 담관과 췌관의 해부학적 구조를 평가하고 담석, 종양 등 공간 점유병소를 확인하는 것입니다. 위장과 대장에서 같은 원리의 바륨조영술이 거의 폐기되고 내시경을 이용하여 직접 점막의 변화를 관찰하여 조기 위암 및 대장암을 진단하고 최근에는 더 나아가 narrow band image의 사용으로 세포학적 변화를 평가하는 방법이 널리 사용되고 있는 것에 비하면 담도 췌관 관찰법은 조영술에 머물러 있어 이 분야 내시경진단법은 매우 더디게 발전하고 있다는 것도 부인할 수 없습니다. 담도 및 췌관을 직접 관찰하려는 노력은 계속되어 경피경간 담도내시경과 모자 담도내시경이 임상에서 사용되었으나 시술방법이 복잡하여 제한된 적응증에서만 사용되어 오고 있었습니다.

2007년 기존 ERCP 시 사용하는 측시내시경의 겸자공을 통하여 일인 조작 담도경(single operator fiberoptic scope)을 이용하는 시스템인 SpyGlass Legacy system (Boston Scientific Corporation, Natick, MA, USA)이 개발되었고 2015년 2세대 SpyGlass DS 시스템이 개발되어 보다 향상된 해상도와 시야각이 개선된 디지털 이미지를 획득할 수 있게 되었습니다. Spyglass DS 검사가 대한췌장담도학회의 지속적인 노력으로 우리나라에서도 2021년 선별급여로 보험에 등재되었습니다. 이를 계기로 Spyglass DS를 필두로 ultraslim endoscopy를 통한 담관 직접관찰과 같은 single operator cholangioscope (SOC) 사용 확대는 직접 담관계 내강을 관찰함으로써 췌장 담도계 질환의 진단과 치료에 획기적인 변화를 가져올 것이 분명해 보입니다. 더 나아가 담도 점막 관찰을 통하여 조기 담도암 병태 생리 연구의 새로운 지평이 열릴 것으로 기대됩니다.

이 책자는 대한췌장담도학회 산하 신의료기술연구회 주관으로 SOC에 대한 소개와 시술방법 및 폭넓은 임상사례를 모아 집대성한 것입니다. 이 책자를 통해 SOC에 대한 연구자 상호 간 임상 사례를 공유하여 향후 연구의 디딤판이 될 것이며, 또 새로이 시작하는 초심자에겐 훌륭한 가이드가 될 것입니다. 귀중한 원고와 관련 시술 동영상을 제출해주신 저자 여러분의 노고에 심심한 사의를 표하며 권창일 위원장을 포함한 신의료기술연구회 위원들에게 깊은 감사와 축하의 인사를 전합니다. 아무쪼록 이 책자가 췌장 담도학의 미래를 활짝 여는 마중물이 되길 소망합니다.

대한췌장담도학회 이사장
이 홍 식

먼저 대한췌장담도학회의 신의료기술연구회에서 '단일시술자 담도내시경검사'에 대한 가이드북을 발간하게 되어 회원 여러분들과 함께 진심으로 환영하며, 학회로서는 매우 경사스러운 일입니다.

단일시술자 담도내시경검사는 내시경역행성담도췌장조영술을 기본으로 하는 담도, 췌장의 진단 및 치료에 관한 여러 가지 검사 중에서도 현재 가장 첨단이 되는 시술입니다. 본 책의 앞머리에도 상세하게 설명이 되어 있지만, 역사적인 면에서도 난치성인 담도, 췌장 질환에 대해 본 시술이 얼마나 많은 노력을 통해서 발전해왔는지를 잘 알 수 있습니다. 이는 환자의 고통을 경감시키기 위한 췌장담도 의사들의 부단한 노력과도 일맥상통하는 것입니다.

제 개인적으로는, 일본 유학시절인 1994년도에 처음으로 경피경간 담도경검사를 경험하였습니다. 조영술로만 보던 담도의 내부를 실제로 확인하였을 때의 그 감동은 아직도 잊히지 않습니다. 다음 해에 우리나라에 돌아와서, 그 때 국내에서는 아주 드물게 시행하였던 모자 방식(mother–baby endoscope system)의 경구담도내시경검사에도 참여할 수 있었습니다. 이 검사는 시술에 다소 번거로움이 있었지만 당시로서는 가히 획기적이라고 할 수 있었습니다. 돌이켜보면 담도췌장내시경검사의 발전이 빠르게 진행된 것도 이 시기가 아닌가 합니다.

이제는 검사와 시술의 안전성을 확보하고, 보다 간편한 방법을 이용하여 단일검사자가 담도췌장내시경을 하는 시절이 되었습니다. 내시경 술기뿐만 아니라 학문적으로도 많은 발전을 이룰 수 있었던 것은 회원 여러분들과 어려운 환경 속에서도 정진하신 연구자들의 노력이 있었기에 가능하였다고 생각합니다. 또한, 우리나라가 이 분야에서 세계적으로 가장 앞서가는 성과를 내고 있다는 점이 더욱 자랑스럽습니다.

본 책자는 주로 SpyGlass와 관련된 시술에 대해서 담도췌장내시경검사에 익숙한 분이나 초보자에 관계없이 잘 알 수 있게 설명하고 있습니다. 모쪼록 관심 있는 분들에게 좋은 가이드북이 되었으면 하는 바람입니다. 끝으로, 본 책자의 발간을 위해 수고해주신 이홍식 이사장님, 권창일 신의료기술연구회 위원장님과 편집위원 여러분들께 감사의 인사를 드립니다. 감사합니다.

대한췌장담도학회 회장
문 영 수

편집위원회

편집위원장

권창일　CHA의대 분당차병원

편집위원

고동희　한림의대 동탄성심병원
문성훈　한림의대 평촌성심병원
성민제　CHA의대 분당차병원
오치혁　경희대학교병원
이경주　한림의대 동탄성심병원
이상협　서울대학교병원
이윤나　순천향의대 부천순천향병원
현종진　고려의대 안산병원

2021. 10. 29. 학회 사무실에서.

집필진

고광현	CHA의대 분당차병원
고동희	한림의대 동탄성심병원
권창일	CHA의대 분당차병원
김재우	연세원주의대 원주세브란스기독병원
김태현	원광대학교병원
동석호	경희대학교병원
문성훈	한림의대 한림대학교성심병원
문종호	순천향의대 부천순천향병원
박도현	울산의대 서울아산병원
박세우	한림의대 동탄성심병원
박지영	인제의대 상계백병원
박창환	전남대학교병원
성민제	CHA의대 분당차병원
양민재	아주대학교병원
오치혁	경희대학교병원
유병무	아주대학교병원
이경주	한림의대 동탄성심병원
이상협	서울대학교병원
이윤나	순천향의대 부천순천향병원
이종균	성균관의대 삼성서울병원
전태주	인제의대 상계백병원
전형구	원광대학교병원
조은애	전남대학교병원
조인래	서울대학교병원
현종진	고려의대 안산병원

목차

1 INTRODUCTION

2 ADVANCED TECHNIQUES

3 CLINICAL APPLICATIONS OF SINGLE-OPERATOR CHOLANGIOSCOPY

4 APPENDIX

INTRODUCTION

History of cholangioscopy

– 담도내시경의 역사와 현재

문종호 이윤나

담도내시경 검사(cholangioscopy)는 담관 내부의 내시경적 검사를 통해 치료가 어려운 담관 결석의 안전한 쇄석술, 일반적인 영상검사나 내시경 역행성 담췌관조영술(endoscopic retrograde cholangiopancreatography, ERCP)을 통해 정확한 진단이 어려운 담관 협착이나 담관 내 미세한 병변에 대한 내시경적 검사 또는 특정 담관 질환에 대하여 병변의 경계 확인 등 보다 정밀한 검사를 시행할 수 있는 유용한 검사 방법이다. 담도내시경은 담관 내로 내시경을 삽입하는 경로에 따라 경피경간 담도내시경검사(percutaneous transhepatic cholangioscopy, 이하 PTCS)와 경구 담도내시경검사(peroral cholangioscopy, 이하 POC)로 분류할 수 있다.

PTCS는 1970년대 중반 처음 소개되었으며, 경피경간 담도 배액술(percutaneous transhepatic biliary drainage, PTBD)을 통해 피부와 담도 사이에 누공을 만든 뒤 약 5 mm 직경의 담도내시경을 누공을 통해 삽입하여 담도에 접근하는 방법이다. 따라서, PTCS를 시행하기 위해서는 시술 전 침습적인 경피경간 담도 누공이 필요하고, 누공이 완전해지기까지 2-3주 정도의 시간이 소요되는 등 검사를 위한 준비가 복잡하다는 단점이 있다. 이후 1978년 Nakajima 등에 의해 모자내시경 시스템(mother–baby endoscope system)을 이용한 POC의 유용성이 보고되면서, POC는 현재 담도내시경의 표준 검사법으로 이용되고 있다.

초기의 POC 검사는 모자내시경 시스템(mother–baby endoscope system)을 이용하여 시행되었다. 모자내시경 시스템에서는 십이지장경이 '모내시경(motherscope)'이 되고 십이지장경의 겸자공을 통해 삽입되는 담관내시경이 '자내시경(babyscope)'이 되어 검사가 진행된다. 하지만 검사 수행을 위해서는 2개의 내시경 시스템과 숙련된 2명의 내시경전문의가 필요하고(Fig. 1), 시술 시간이 오래 걸릴 뿐 아니라 자내시경의 내구성이 약하여 쉽게 손상되는 등의 단점 때문에 일부 국한된 기관에서만 검사가 가능하였다.

이러한 제한점을 극복하기 위해 한 명의 내시경 의사에 의해 시술이 가능한 POC 시스템 개발이 모색되어 왔으며, 현재 대표적인 방법이 SpyGlass® Direct Visualization System (DVS) (Boston Scientific Corp,

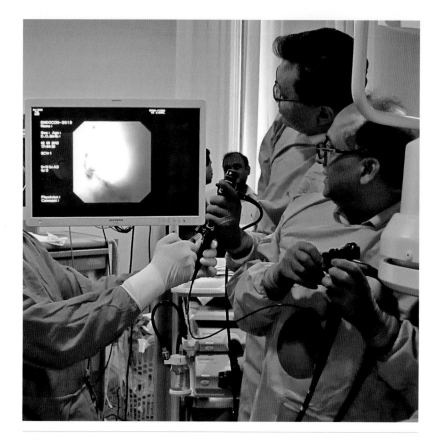

Fig. 1 Mother–baby endoscope system (Operator: Dr. Jong Ho Moon and Dr. Randhir Sud)

Natick, MA, USA)과 극세경 내시경(ultra–slim endoscope)을 이용한 직접 경구 담도내시경(direct peroral cholan-gioscopy, direct POC)이다.

1977년 Urakami 등은 모자내시경 방식에서와 같은 십이지장경의 도움 없이 일반 상부위장관 내시경을 십이지장 유두부 입구를 통하여 직접 담관 내로 삽입하여 담도내시경 검사를 시행하여 보고하였고, 1978년 Rösch 등은 담관–십이지장 문합술(choledochoduodenostomy)이 시행된 환자에서 소아용 상부위장관 내시경을 이용하여 직접 경구적 담도내시경 검사를 시행하여 보고하였다. 이와 같이 모자내시경 방식과 달리 하나의 내시경을 담관 내로 직접 삽입하여 담도내시경 검사를 시행하는 것을 직접 경구적 담도내시경 검사라고 한다. 하지만 이러한 검사 방법은 1977년 처음 소개된 이후 더 이상의 연구나 보고가 없다가 2006년과 2009년에 미국과 국내에서 내시경을 직접 담관 내로 삽입하기 위해 보조기구의 도움을 사용하는 연구들이 보고되면서 발전하게 되었다.

직접 경구 담도내시경은 기존의 소아(pediatric) 또는 경비(transnasal) 내시경 검사에 사용되는 극세경 내시경을 십이지장 유두부를 통하여 직접 담관 내로 삽입하는 방법이다. 따라서 기존의 상부 위장관 내시경과 유사한 정도의 우수한 화질(image quality)로 담관을 관찰할 수 있고, 사용되는 극세경 내시경 종류에 따라 협대역 영상(narrow band image, NBI) 및 i-scan과 같은 영상증강 내시경(image-enhanced endoscopy) 검사가 가능하다(**Fig. 2**). 또한, 극세경 내시경은 2.0–2.2 mm 크기의 부속기구 겸자공을 가지고 있어 충분한 양의 조직검체 획득이 가능하고, 이외에도 5 Fr 직경의 다양한 부속기구들을 사용할 수 있다는 이점이 있다. 하지만 직접 경구 담도내시경은 담관과 십이지장 유두부가 일정이상 확장된 환자에서만 검사가 가능하고, 십이지장과 담관 사이의 급격한 각도 때문에 극세경 내시경의 담관 내 삽입이 쉽지 않아 임상에서의 사용에는 제한이 있다. 여러 가지 보조 기구들이 극세경 내시경의 담관 내 삽입을 위해 이용되고 있으나, 다소 시술 과정이 복잡하고 조직생검이나 치료 목적의 시술을 위해서는 겸자공으로부터 보조기구를 제거해야 하기 때문에 내시경의 위치가 불안해질 수 있다는 단점이 있다. 최근에는 직접 경구 담도내시경 검사를 위한 다중 굴곡 극세경 내시경(multibending ultra–slim endoscope, CHF–Y0010; Olympus Medical Systems, Co, Ltd, Tokyo, Japan)이 개발되고 있으며 프로토 타입의 제품을 이용한 연구가 보고되고 있다.

2007년 처음 소개된 SpyGlass® DVS (SpyGlass legacy)는 모자내시경 시스템과 같이 십이지장경의 겸자공을 통해 담도내시경을 담관 내로 삽입하는 방식이지만, 한 명의 췌담도 내시경 의사에 의해 시술 시행이 가능하도록 고안된 대표적인 단일시술자 담도내시경(single–operator cholangioscopy, SOC) 시스템이다(**Fig. 3**). 하지만, 초기 SpyGlass® DVS 시스템은 영상의 질이 기존의 내시경장비를 통한 영상에 비해 현저히 떨어지고, delivery 카테터를 비롯한 여러 가지 악세서리들이 고가라는 단점 때문에 실제 임상에서는 사용에는 제한이 있었다(**Fig. 4**).

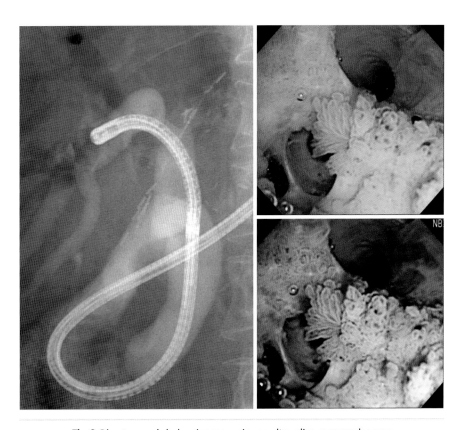

Fig. 2 Direct peroral cholangioscopy using an ultra–slim upper endoscope

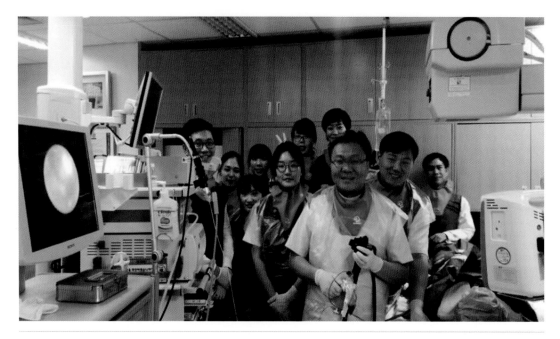

Fig. 3 Commemorating the first peroral for the first peroral cholangioscopy using an initial version of SpyGlass Direct Visualization System (Boston Scientific Corp, Natick, MA, USA) at Soonchunhyang Bucheon University Hospital

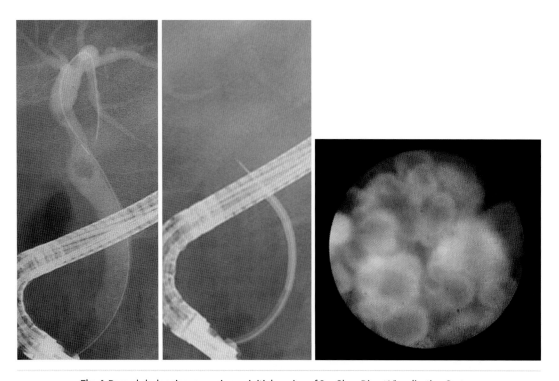

Fig. 4 Peroral cholangioscopy using an initial version of SpyGlass Direct Visualization System
(Boston Scientific Corp, Natick, MA, USA)

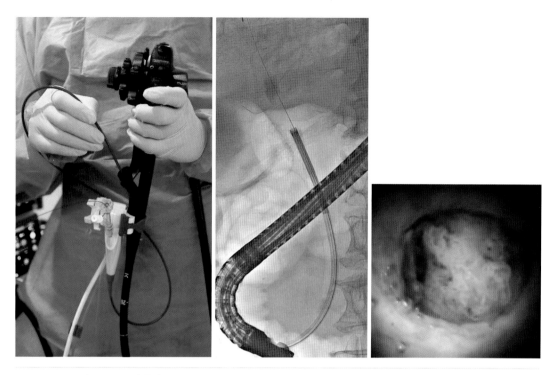

Fig. 5 Peroral cholangioscopy using a SpyGlass DS (Boston Scientific Corp, Natick, MA, USA)

2015년 초기 모델의 만족스럽지 못한 영상 해상도 및 조작의 불편함 등을 개선한 디지털 버전의 Spy-Glass DS 시스템(Boston Scientific)이 출시되었고, SpyGlass® DVS는 현재 표준 POC 시스템으로 가장 널리 사용되고 있다. SpyGlass DS 시스템은 SpyGlass optic probe와 SpyScope을 일체화시켜 사용이 편리하고 초기 모델보다 4배 향상된 해상도의 디지털 영상을 제공하며 내시경 시야각도가 약 60% 정도 향상되었다 (Fig 5). 이러한 SpyGlass DS 시스템의 개발은 여러 가지 담췌관 질환의 진단 및 치료에 있어 담도내시경 검사의 접근성을 향상시켰고, 이를 통해 다양한 영역에서 POC 역할 증진에 기여하고 있다. 또한, 가장 최근 소개된 SpyGlass DS II 도관(Boston Scientific)은 기존보다 4배 더 향상된 해상도와 함께, 발광 다이오드(light emitting diode)의 조도를 조절하여 내시경 시야를 개선하는 기능이 탑재되어 현재 임상에서의 넓은 적용이 기대되고 있다.

기존의 상부위장관 조영술과 대장 조영술 대신 위내시경 검사와 대장내시경 검사가 보편화되면서 위장관 질환의 진단 및 치료에 있어서 많은 진보가 있었던 것처럼, POC 검사도 ERCP의 한계를 넘어서는 진단 및 치료적 발전을 가져올 수 있다. SpyGlass 시스템을 비롯한 POC 검사는 이미 ERCP로 진단이 어려운 담관 협착, 치료가 어려운 담관 결석뿐 아니라 미세 담관 병변이나 조기 담관암의 진단 등 다양한 담췌관 질환의 진단 및 치료에 유용한 검사로 인정받고 있으며, 앞으로 그 중요도는 지속적으로 증가할 것으로 예상된다.

References

1. Nakajima M, Akasaka Y, Yamaguchi K, Fujimoto S, Kawai K. Direct endoscopic visualization of the bile and pancreatic duct systems by peroral cholangiopancreatoscopy (PCPS). Gastrointest Endosc. 1978;24(4):141–5.

2. Moon JH, Terheggen G, Choi HJ, Neuhaus H. Peroral cholangioscopy: diagnostic and therapeutic applications. Gastroenterology. 2013;144:276–82.

3. Lee YN, Moon JH, Choi HJ. A newly modified access balloon catheter for direct peroral cholangioscopy by using an ultraslim upper endoscope (with videos). Gastrointest Endosc. 2016;83:240–7.

4. Lee YN, Moon JH, Lee TH, Choi HJ, Itoi T, Beyna T, et al. Prospective randomized trial of a new multibending versus conventional ultra–slim endoscope for peroral cholangioscopy without device or endoscope assistance (with video). Gastrointest Endosc. 2020;91:92–101.

5. Manta R, Frazzoni M, Conigliaro R, Maccio L, Melotti G, Dabizzi E, et al. SpyGlass single–operator peroral cholangioscopy in the evaluation of indeterminate biliary lesions: a single–center, prospective, cohort study. Surg Endosc. 2013;27(5):1569–72.

6. Urakami Y, Seifert E, Butke H. Peroral direct cholangioscopy (PDCS) using routine straight–view endoscope: first report. Endoscopy. 1977;9(1):27–30.

7. Rosch W, Koch H. Peroral cholangioscopy in choledocho–duodenostomy–-patients using the pediatric fiberscope. Endoscopy. 1978;10(3):195–8.

8. Larghi A, Waxman I. Endoscopic direct cholangioscopy by using an ultra–slim upper endoscope: a feasibility study. Gastrointest Endosc. 2006;63(6):853–7.

9. Moon JH, Ko BM, Choi HJ, Hong SJ, Cheon YK, Cho YD, et al. Intraductal balloon–guided direct peroral cholangioscopy with an ultraslim upper endoscope (with videos). Gastrointest Endosc. 2009;70(2):297–302.

10. Choi HJ, Moon JH, Ko BM, Hong SJ, Koo HC, Cheon YK, et al. Overtube–balloon–assisted direct peroral cholangioscopy by using an ultra–slim upper endoscope (with videos). Gastrointest Endosc. 2009;69(4):935–40.

11. Lee YN, Moon JH, Choi HJ, Lee TH, Choi MH, Cha SW, et al. Direct peroral cholangioscopy for diagnosis of bile duct lesions using an I–SCAN ultraslim endoscope: a pilot study. Endoscopy. 2017;49(7):675–81.

12. Itoi T, Sofuni A, Itokawa F, Tsuchiya T, Kurihara T, Ishii K, et al. Peroral cholangioscopic diagnosis of biliary–tract diseases by using narrow–band imaging (with videos). Gastrointest Endosc. 2007;66(4):730–6.

13. Moon JH, Terheggen G, Choi HJ, Neuhaus H. Peroral cholangioscopy: diagnostic and therapeutic applications. Gastroenterology. 2013;144(2):276–82.

14. Lee YN, Moon JH, Choi HJ, Kim HS, Choi MH, Kim DC, et al. A newly modified access balloon catheter for direct peroral cholangioscopy by using an ultraslim upper endoscope (with videos). Gastrointest Endosc. 2016;83(1):240–7.

15. Lee YN, Moon JH, Lee TH, Choi HJ, Itoi T, Beyna T, et al. Prospective randomized trial of a new multibending versus conventional ultra–slim endoscope for peroral cholangioscopy without device or endoscope assistance (with video). Gastrointest Endosc. 2020;91(1):92–101.

16. Itoi T, Nageshwar Reddy D, Sofuni A, Ramchandani M, Itokawa F, Gupta R, et al. Clinical evaluation of a prototype multi–bending peroral direct cholangioscope. Dig Endosc. 2014;26(1):100–7.

17. Chen YK, Pleskow DK. SpyGlass single–operator peroral cholangiopancreatoscopy system for the diagnosis and therapy of bile–duct disorders: a clinical feasibility study (with video). Gastrointest Endosc. 2007;65:832–41.

18. Navaneethan U, Hasan MK, Lourdusamy V, Njei B, Varadarajulu S, Hawes RH. Single–operator cholangioscopy and targeted biopsies in the diagnosis of indeterminate biliary strictures: a systematic review. Gastrointest Endosc. 2015;82(4):608–14.e2.

19. Lee YN, Moon JH, Choi HJ, Kim HK, Lee HW, Lee TH, et al. Tissue acquisition for diagnosis of biliary strictures using peroral cholangioscopy or endoscopic ultrasound–guided fine–needle aspiration. Endoscopy. 2019;51(1):50–9.

Instruments

— 기구

권창일 성민제

SpyGlass DS System은 내시경 역행성 담췌관조영술(endoscopic retrograde cholangiopancreatography, ERCP) 시술 중에 고해상도 영상을 이용한 췌관 및 담도를 직접 시각화하여 정밀한 표적 생검 및 결석 파쇄 등을 효과적으로 시행할 수 있다(**Fig. 1, 2**). 기존 ERCP에 비해 더 효율적인 평가가 가능하며 추가 검사 및 재검사의 필요성을 줄일 수 있다.

289명의 담관 협착 환자를 대상으로 한 임상 연구에서, 이 시스템을 이용한 담관경 검사로 ERCP를 시행 받은 환자의 86.2%에서 임상 치료방향이 변경되었다. 95% 이상의 담도 결석 제거율을 보여주는 이 시스템은 보다 침습적이고 비용이 많이 드는 시술의 필요성을 감소시킬 수 있으며, 이는 환자의 치료 결과와 환자 만족도에 상당한 영향을 미칠 수 있다. 솔질 세포 검사와 비교할 때, 이 시스템은 내시경 시술자가 직접 담도를 관찰하며 조직 생검을 얻는 것이 가능하여, 민감도(68.2% vs. 21.4%, P < 0.01)와 진단 정확도(overall accuracy) (87.1% vs. 65.5%, P = 0.05)를 개선함으로써 보다 빠르고 확실한 암 진단을 가능하게 한다(**Fig. 3**).

이 새로운 시스템은 2015년 출시 이후 현재 65개 이상의 국가에서 사용되고 있다.

SpyGlass DS Direct Visualization System

1) SpyScope DS Ⅱ Access & Delivery Catheter 및 SpyGlass DS Digital Controller

(1) 유의 사항

SpyScope DS Ⅱ는 EO (Ethylene Oxide) 공정을 사용하여 무균 처리되어 포장된다. 멸균 포장이 손상된 경우

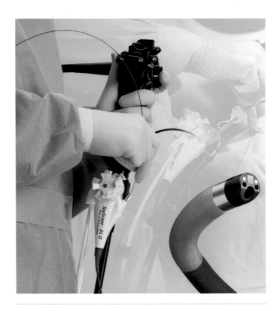

Fig. 1 SpyScope DS II Access & Delivery Catheter

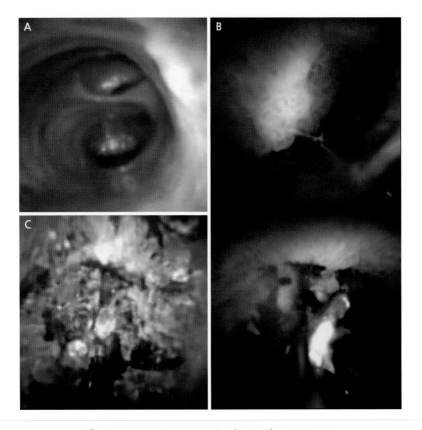

Fig. 2 Representative cases using the SpyGlass DS System
A. View of normal ducts, B. Taking a biopsy using SpyBite Biopsy Forceps, C. Fragmenting a large stone using EHL

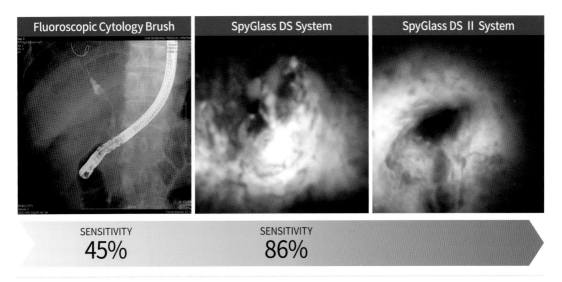

Fig. 3 Comparison of sensitivity of malignant biliary stricture between brush cytology and visual diagnosis by SpyGlass

Table 1. SpyGlass DS System

Order Number	Description	Packaging
M00546650	SpyGlass DS Digital Controller	Individual packaging
M00546610	SpyScope DS II Access & Delivery Catheter	Individual packaging

사용하지 않는 것이 바람직하며, 일회용이기 때문에 재사용, 재처리 또는 재살균하지 말아야 한다. 재사용, 재처리 또는 재멸균은 장치의 구조적 결함을 유발하게 되거나 장치 고장으로 이어질 수 있으며, 이는 결과적으로 환자의 부상, 질병 또는 사망을 초래할 수 있다. 또한, 이로 인해 장치의 오염을 유발할 수 있어, 환자 감염 또는 다른 환자로의 질병 전염 위험성도 있다. 그리고, 최근 담도암 환자에게 치료 목적으로 적용하고 있는 고주파 열치료(Radiofrequency ablation, RFA) 기구들을 위해 제작된 것이 아니기 때문에 동시 사용 시 큰 제한점이 있다.

일반적인 이 기구 사용의 금기사항은 ERCP가 불가능한 환자 및 내시경으로 췌관 및 담관에 대한 삽관 및 시술이 불가능할 경우이다.

(2) 장치 구성

SpyGlass DS II Direct Visualization System은 간내 담관을 포함한 췌장-담도 시스템의 내시경 시술 중 진단 및 치료 용도로 사용된다. SpyGlass DS II 직접 시각화 시스템은 SpyScope DS II 액세스 및 전달 카테터와 SpyGlass DS 디지털 컨트롤러의 두 가지 구성 요소로 구성된다(Fig. 4).

SpyScope DS II 액세스 및 전달 카테터는 직접 시각화를 제공하고, 간내 담관을 포함한 췌장-담도 시스템의 내시경 시술 중 진단 및 치료 과정을 위한 광학 및 액세서리 장치를 제공하기 위한 것이다(Fig. 5, 6).

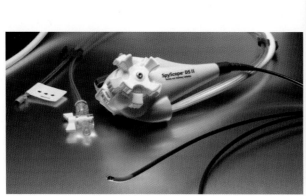
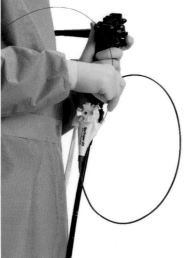

Fig. 4 SpyScope DS II Access & Delivery Catheter (left), and the appearance after attaching it to the duodenoscopy to perform single–operator cholangiosopy (right)

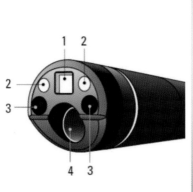
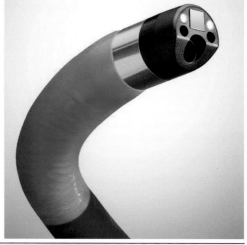

번호	명칭
1	비디오 이미징 센서
2	조명(2개)
3	Irrigation 채널(2개)
4	Working 채널(accessory & aspiration 겸용)

Fig. 5 Distal tip of SpyScope DS II Catheter

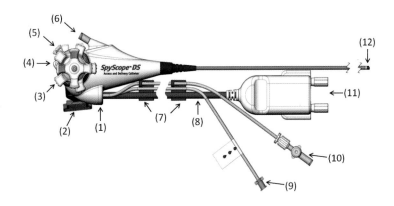

번호	명칭	역할
1	손잡이(handle)	손잡이를 통해 사용자는 SpyScope DS II 카테터를 연결하고 작동할 수 있다.
2	부착 스트랩	SpyScope DS II 카테터를 십이지장경 손잡이에 고정한다.
3	대형 관절 제어노브	이 노브를 사용자 쪽으로 돌리면(반시계 방향) SpyScope DS II 카테터의 관절부가 왼쪽 위로 구부러진다. 이 노브를 사용자 반대편으로 돌리면(시계 방향) 관절부가 오른쪽 아래로 구부러진다.
4	소형 관절 제어노브	이 노브를 사용자 쪽으로 돌리면(반시계 방향) SpyScope DS II 카테터의 관절부가 왼쪽 아래로 구부러진다. 이 노브를 사용자 반대편으로 돌리면(시계 방향) 관절부가 오른쪽 위로 구부러진다.
5	관절 잠금장치	이 잠금 레버를 화살표 방향으로 움직이면 관절 제어노브 및 SpyScope II DS 카테터 관절부가 현재 위치로 고정된다. 이 잠금 장치를 부분적으로 작동하면 노브의 회전력이 증가하여 관절부를 미세하게 제어할 수 있다.
6	작업채널포트	작업 채널 포트는 부속품 삽입점이다. 또한 Y포트 어댑터(패키지에 포함)를 선택적으로 이 포트에 연결하여 작업채널을 통과하는 부속품 둘레를 밀봉하거나 부속품이 제자리에 있는 상태에서 용액 주입을 가능하게 할 수 있다.
7	튜브/케이블 클립	두 개의 튜브/케이블 클립을 통해 세척 튜브 부분, 흡인 튜브 부분, 카테터 케이블을 결성을 위해 딸각 소리가 나게 끼울 수 있다. 카테터 케이블 및 세척 튜브부를 선택적으로 클립에서 제거하여 케이블을 따라 재배치할 수도 있다.
8	커넥션케이블	컨트롤러에서 SpyScope DS II 카테터의 원위부 끝으로 빛을 전송하며, 이미지 처리 및 디스플레이를 위해 SpyScope DS II 카테터 비디오 센서에서 포착한 비디오 신호를 컨트롤러로 전송한다.
9	세척포트	세척 포트는 세척 튜브용 연결점이며 루어형 커넥터가 있다.
10	흡인포트	흡인 포트는 흡인 튜브 및/또는 주사기용 연결점이며, 루어형 피팅이 있는 흰색의 켜짐/꺼짐 흐름 제어 밸브가 포함되어 있다.
11	케이블 커넥터	카테터 케이블을 컨트롤러에 연결한다. 이 커넥터에는 컨트롤러로 삽입 시 위를 향하는 잠금 탭이 있다.
12	삽입부위	Articulation section을 포함한 카테터 원위부이다.

Fig. 6 SpyScope DS II Access & Delivery Catheter

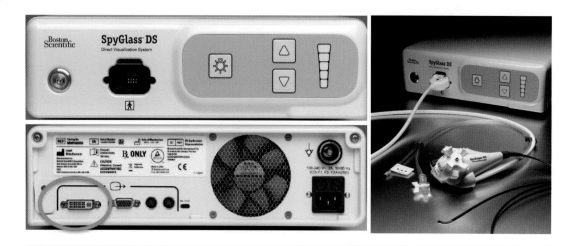

Fig. 7 SpyGlass DS Ⅱ Direct Visualization System,
and the SpyScope DS Ⅱ Access & Delivery Catheter installed in the system

① SpyScope DS Ⅱ Catheter의 새로운 CMOS chip은 기존의 SpyScope DS Catheter 보다 2.5배 해상도가 높으며, 광원을 조절하여 플레어 현상을 줄이면서 가장자리 및 관찰부위의 내강 안의 밝기를 증가시켰다.

② SpyGlass DS 디지털 컨트롤러는 간내 담관을 포함한 췌장–담도 시스템의 내시경 시술 중 진단 및 치료 용도로 SpyScope DS Ⅱ 액세스 및 전달 카테터에서 조명을 제공하고 이미지를 수신, 처리 및 출력하기 위한 것이다. 연결 가능한 포트는 DVI (초록색 원), VGA, S–Video이다(**Fig. 7**).

(3) 일반적인 주의사항

SpyScope DS Ⅱ Catheter의 선단부의 관절 부위가 ERCP 내시경의 elevator에 의해 심하게 굽혀지게 되면 이 부분이 쉽게 파손된다. 검사 중에 조심스럽게 elevator를 조금만 이용하거나 거의 사용하지 않으면서 SpyScope DS Ⅱ Catheter의 선단부를 십이지장 유두부에 삽입하도록 숙련이 되어야 한다. 그리고 이전에 위 수술이나 담도 수술을 받았던 경우 또는 담도 협착이 동반된 경우에는 매우 주의하여 검사를 시행하여야 한다. 이런 경우에 SpyScope DS Ⅱ Catheter가 삽입되는 것에 문제가 있기 때문이다.

(4) 합병증

발생 가능한 합병증은 다음과 같으나, 검사의 제한점은 아니다.
췌장염/천공/출혈/혈종/패혈증 및 감염/담관염/조영제에 대한 알레르기 과민 반응/담도 또는 췌관 점막 손상

Accessory equipment

SpyScope DS II catheter는 제거하기 힘든 담도 결석 및 진단이 어려운 담도 협착 등에 대응할 수 있는 진단 및 치료용 액세서리 제품군들을 이용할 수 있다. 또한, 수술 전 수술범위를 확인하기 위한 매핑(mapping)을 시행하고, 병변 제거를 위한 ablation 시술 전후에 조직을 관찰하는 데 유용한 도구가 될 수 있다(**Fig. 8**).

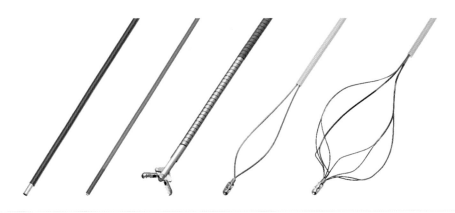

Fig. 8 Accessory equipments for SpyScope DS II catheter.
From the left, Autolith Touch EHL Extender Cable, Habib EndoHPB Bipolar Radiofrequency Ablation Catheter, New SpyBite Max Biopsy Forceps, SpyGlass Retrieval Snare, SpyGlass Retrieval Basket.

1) 협착에 관련된 악세서리들

ERCP 시술 중, SpyGlass DS system은 담관 및 췌관을 직접 시각화할 수 있어, 조직 생검을 수행하고 불확실한 협착을 진단하며 내강 안으로 이탈된 플라스틱 스텐트와 같은 이물질을 제거하는 데 도움이 될 수 있다.

SpyGlass DS System 및 SpyBite Biopsy Forceps (민감도 86%)를 사용하여 직접 시각화 하에서 조직 생검을 수행하면 브러시 세포 검사(민감도 45%)에 비해 악성 종양을 더 빠르고 정확하게 진단할 수 있다. 새로운 SpyBite Max Biopsy Forceps는 디자인을 향상시켜 평균 채취 당 2배 이상의 조직을 획득하는 것으로 회사 자체 테스트상 보고하고 있다(**Fig. 9**).

289명의 환자를 대상으로 한 전향적 연구에서 담관경 검사를 통한 진단 ERCP는 환자의 85%에서 환자 치료 방침을 변경하였으며 불확실한 협착을 진단하는 데 도움이 되는 높은 시술 성공률과 정확도를 보였다.

SpyGlass Retrieval Snare는 ERCP 절차 중에 담도 근위부로 이탈된 플라스틱 스텐트와 같은 담관 및 췌장 관의 이물질을 효율적으로 포획하고 제거할 수 있도록 설계되었다(**Fig. 10**).

Fig. 9 SpyBite Max Biopsy Forceps

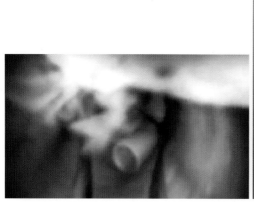
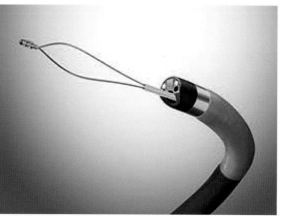

Fig. 10 SpyGlass Retrieval Snare

2) Stone Management

전기수압쇄석술(electrohydraulic lithotripsy, EHL)을 위한 Autolith Touch System과 같은 쇄석술 장치를 이용할 수 있는 SpyGlass DS System은 직접 시각화 하에 담도 결석을 파쇄하기 때문에 단일 세션 치료로 높은 담도 결석 제거 성공률을 가능하게 한다(**Fig. 11**).

담도 결석 환자의 약 10–15%는 제거하기 힘든 경우로 간주되며, 표준 ERCP 기술을 사용하여 효과적으로 치료할 수 없다. EHL 및 SpyGlass DS System를 이용한 직접 시각화를 이용한 결석 제거는 74.5%의 단일 세션 결석 제거율로 입증되어, 임상적으로 매우 효과적인 것으로 보고하였다. SpyGlass Retrieval Basket은 SpyGlass DS System으로 시각화된 잔존 담도 및 췌관 결석 및 파편들을 포획하고 제거하는 데 사용할 수 있다(**Fig. 12**).

단일 세션으로 결석 제거를 성공하고 재시술의 필요성을 줄이면 환자 만족도를 높이고 추가적인 의료비를 줄일 수 있다.

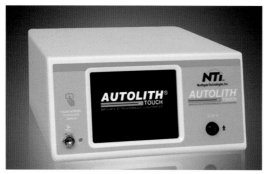

Fig. 11 Autolith Touch Biliary EHL System & Autolith Touch EHL Extender Cable

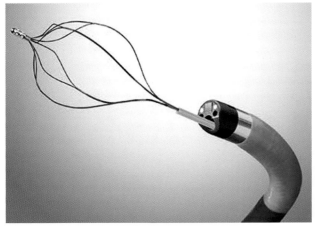

Fig. 12 SpyGlass Retrieval Basket   **Fig. 13** SpyGlass DS Scope Tip Laser

Table 2. SpyGlass DS Accessory Devices (Optional)					
Order Number	Product Description	Cable Diameter (in/mm)	Jaw Outer Diameter (mm)	Working Length (cm)	Required Endoscope Working Channel (mm)
M00546470	SpyBite Max Biopsy Forceps	0.039 / 1.0	1.0	286	1.2
M00546270	SpyBite Biopsy Forceps	0.039 / 1.0	1.0	286	1.2
M00546550	SpyGlass Retrieval Basket	0.039 / 1.0	N/A	286	1.2
M00546560	SpyGlass Retrieval Snare	0.039 / 1.0	N/A	286	1.2

3) Facilitating Ablation Procedures

Habib EndoHPB Bipolar Radiofrequency Ablation Catheter 및 금속 스텐트 삽입 시, SpyGlass DS System은 시술 전후에 치료 범위의 크기와 위치를 확인하는 데 유용한 도구가 될 수 있다.

4) Presurgical Mapping

외과적 수술 전에 담관 또는 췌관의 악성 침범 정도를 "Mapping" 목적으로 디지털 담췌관경 검사의 효과를 조사한 최근 연구에서는 118명의 환자를 분석한 결과, SpyGlass DS System으로 직접 시각화를 하면 34%의 경우에서 수술 범위가 변경되는 것을 입증하였다.

■ References

1. Almadi MA, Itoi T, Moon JH, Goenka MK, Seo DW, Rerknimitr R, et al. Using single–operator cholangioscopy for endoscopic evaluation of indeterminate biliary strictures: results from a large multinational registry. Endoscopy. 2020;52(7):574–82.

2. Bokemeyer A, Gerges C, Lang D, Bettenworth D, Kabar I, Schmidt H, et al. Digital single–operator video cholangioscopy in treating refractory biliary stones: a multicenter observational study. Surgical Endoscopy. 2020;34(5):1914–22.

3. Brewer Gutierrez OI, Bekkali NLH, Raijman I, Sturgess R, Sejpal DV, Aridi HD, et al. Efficacy and Safety of Digital Single–Operator Cholangioscopy for Difficult Biliary Stones. Clin Gastroenterol Hepatol. 2018;16(6):918–26.e1.

4. Buxbaum J, Sahakian A, Ko C, Jayaram P, Lane C, Yu CY, et al. Randomized trial of cholangioscopy–guided laser lithotripsy versus conventional therapy for large bile duct stones (with videos). Gastrointestinal endoscopy. 2018;87(4):1050–60.

5. Deprez P, Garces Duran R, Moreels T, Furneri G, Demma F, Verbeke L, et al. The economic impact of using single–operator cholangioscopy for the treatment of difficult bile duct stones and diagnosis of indeterminate bile duct strictures. Endoscopy. 2018;50(02):109–18.

6. Draganov PV, Chauhan S, Wagh MS, Gupte AR, Lin T, Hou W, et al. Diagnostic accuracy of conventional and cholangioscopy–guided sampling of indeterminate biliary lesions at the time of ERCP: a prospective, long–term follow–up study. Gastrointest Endosc. 2012;75(2):347–53.

7. Gerges C, Beyna T, Tang RSY, Bahin F, Lau JYW, van Geenen E, et al. Digital single–operator peroral cholangioscopy–guided biopsy sampling versus ERCP–guided brushing for indeterminate biliary strictures: a prospective, randomized, multicenter trial (with video). Gastrointest Endosc. 2020;91(5):1105–13.

8. Jailwala J, Fogel EL, Sherman S, Gottlieb K, Flueckiger J, Bucksot LG, et al. Triple–tissue sampling at ERCP in malignant biliary obstruction. Gastrointest Endosc. 2000;51(4 Pt 1):383–90.

9. Lee JG, Leung JW, Baillie J, Layfield LJ, Cotton PB. Benign, dysplastic, or malignant––making sense of endoscopic bile duct brush cytology: results in 149 consecutive patients. Am J Gastroenterol. 1995;90(5):722–6.

10. Maydeo AP, Rerknimitr R, Lau JY, Aljebreen A, Niaz SK, Itoi T, et al. Cholangioscopy–guided lithotripsy for difficult bile duct stone clearance in a single session of ERCP: results from a large multinational registry demonstrate high success rates. Endoscopy. 2019;51(10):922–9.

11. Navaneethan U, Njei B, Lourdusamy V, Konjeti R, Vargo JJ, Parsi MA. Comparative effectiveness of biliary brush cytology and intraductal biopsy for detection of malignant biliary strictures: a systematic review and meta–analysis. Gastrointest Endosc. 2015;81(1):168–76.

12. Ogura T, Onda S, Sano T, Takagi W, Okuda A, Miyano A, et al. Evaluation of the safety of endoscopic radiofrequency ablation for malignant biliary stricture using a digital peroral cholangioscope (with videos). Digestive Endoscopy. 2017;29(6):712–7.

13. Ornellas LC, Santos Gda C, Nakao FS, Ferrari AP. Comparison between endoscopic brush cytology performed before and after biliary stricture dilation for cancer detection. Arq Gastroenterol. 2006;43(1):20–3.

14. Pereira P, Santos S, Morais R, Gaspar R, Rodrigues–Pinto E, Vilas–Boas F, et al. Role of Peroral Cholangioscopy for Diagnosis and Staging of Biliary Tumors. Dig Dis. 2020;38(5):431–40.

15. Ponchon T, Gagnon P, Berger F, Labadie M, Liaras A, Chavaillon A, et al. Value of endobiliary brush cytology and biopsies for the diagnosis of malignant bile duct stenosis: results of a prospective study. Gastrointest Endosc. 1995;42(6):565–72.

16. Ramchandani MK, Goenka MK, Itoi T, Seo DW, Rerknimitr R, Lau JY, et al. Tu1412 Single Operator Cholangioscopy for the Evaluation and Diagnosis of Indeterminate Biliary Strictures – Results From a Large Multi–National Registry. Gastrointestinal Endoscopy. 2017;85(5):AB615.

17. Shah RJ, Raijman I, Brauer B, Gumustop B, Pleskow DK. Performance of a fully disposable, digital, single–operator cholangio-pancreatoscope. Endoscopy. 2017;49(7):651–8.

18. Trikudanathan G, Navaneethan U, Parsi MA. Endoscopic management of difficult common bile duct stones. World J Gastro-enterol. 2013;19(2):165–73.

19. Tyberg A, Raijman I, Siddiqui A, Arnelo U, Adler DG, Xu MM, et al. Digital Pancreaticocholangioscopy for Mapping of Pancreaticobiliary Neoplasia: Can We Alter the Surgical Resection Margin? J Clin Gastroenterol. 2019;53(1):71–5.

Basic techniques and useful tips when performing single-operator cholangioscopy

– SpyGlass를 이용한 단일시술자 담도내시경의 기본술기 및 유용한 팁

오치혁 동석호

SpyGlass DS system을 이용한 단일시술자 담도내시경 (Single-operator cholangioscopy, SOC)의 설정

1) SpyGlass 시스템 설정

내시경 역행성 담췌관조영술(endoscopic retrograde cholangiopancreatography, ERCP)에 사용하는 내시경 시스템과 별도로, SpyGlass DS System (이하 SpyGlass)을 위해서는 SpyGlass DS controller, 즉 시스템 본체 외에도 SpyGlass 영상재생을 위한 모니터, 의료영상 저장 전송 시스템(picture archiving and communication system, PACS)용 영상 저장/전송을 위한 게이트웨이 컴퓨터가 필요하다(**Fig. 1**). 단, 병원 PACS 서버로의 전송이나 동영상/사진의 저장이 필요없다면 추가적인 게이트웨이 컴퓨터는 필요하지 않다.

SpyGlass 시스템 본체에서의 영상 출력은 3가지 port로 출력된다. DVI, VGA, S-Video 단자 순으로 출력되는 영상의 해상도가 높다. 따라서 가급적 게이트웨이 컴퓨터 혹은 모니터와의 연결은 DVI port 및 cable로 연결하는 것을 권장한다(**Fig. 2**).

2) 모니터 설정

시술 중에는 SpyGlass의 담관 및 췌관에서의 위치 및 병변을 확인하기 위해 투시(fluoroscopy) 영상, 십이지장경(duodenoscope)의 적절한 위치 유지, SpyScope의 담도 내부로의 진입 확인 등을 위한 내시경 영상, SpyGlass 실시간 영상, 이렇게 3가지 영상을 동시에 확인해야 한다. 따라서, 이 세 가지 영상을 실시간으로 확인할 수 있는 모니터의 설정이 필요하다(**Fig. 3**). 이 각각의 영상을 보여주는 3개의 모니터를 설치하는 것

19

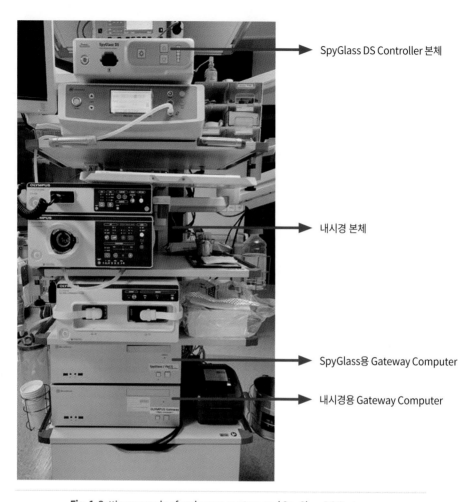

Fig. 1 Setting example of endoscopy system and SpyGlass DS System

사용 Port와 Cable에 따른 Image Quality

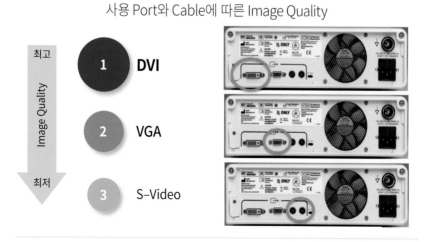

Fig. 2 Differences in image quality according to the video output port

Fluoroscopy Reference image 화면   SpyGlass Live 화면   CT/MRI 등 PACS 영상

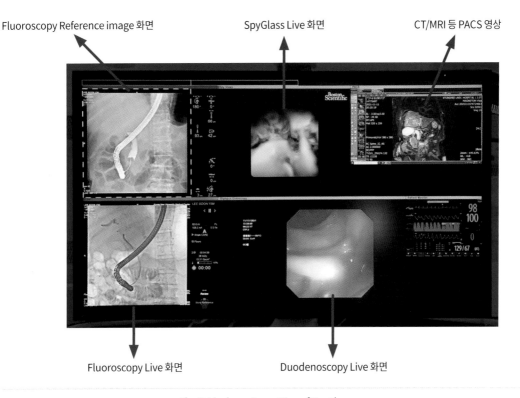

Fluoroscopy Live 화면   Duodenoscopy Live 화면

Fig. 3 Ideal monitor setting of SpyGlass

이 가장 이상적이지만, 추가 모니터 설치에 비용적, 공간적 제약 등의 문제가 있으면 기존 내시경 시스템에서 사용 중인 내시경 모니터의 외부영상 입력 단자를 이용한 PIP (Picture-In-Picture) 혹은 PBP (Picture-By-Picture) 기능으로 한 개의 모니터에서 십이지장경 및 SpyGlass 영상을 동시에 확인하면서 시술할 수 있다.

시술 전 준비사항(Preprocedure Setup)

1) 본체(Controller) 전원
전원 버튼을 누르면 controller 전면의 전체 불이 깜빡이고 약 30초 뒤에 loading process가 시작된다. 약 30초 뒤, SpyScope의 연결준비 완료 화면이 보이고 냉각팬이 작동하기 시작한다(**Fig. 4, 5**).
    SpyScope의 port를 controller와 연결하면 scope의 연결 상태 확인을 위해 5개의 점이 1초간 나타난 후 Live 화면이 나타나게 된다. 만약 5개의 점이 보이는 화면이 계속된다면 SpyScope을 다시 연결해 본다. 문제가 지속된다면 SpyScope이 불량 또는 수명을 다 한 것으로 새 SpyScope을 연결해야 한다(**Fig. 6**).

2) Irrigation 및 Suction
SpyGlass 시술 도중 가장 중요한 것은 water/saline을 이용한 흡인 및 세척(irrigation and suction)이다. 기본

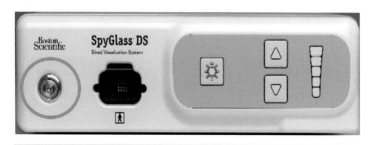

Fig. 4 SpyGalss DS controller and power switch

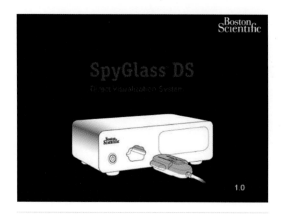

Fig. 5 SpyGlass ready screen capture

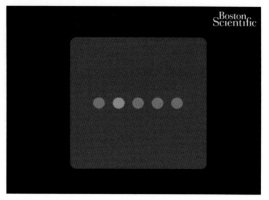

Fig. 6 Error screen capture. If this screen continues, you should suspect a connection error, malfunction or breakdown of SpyScope.

적으로 SpyGlass는 병변의 정확한 상태를 파악하기 위한 화질 확보 및 전기수압쇄석술(electrohydraulic lithotripsy, 이하 EHL) 혹은 레이저 쇄석술(laser lithotripsy, 이하 LL)을 시행하기 위해 담도 내에 물을 채워서(underwater) 검사/시술을 하게 된다. 이를 위해서 SpyScope에는 2개의 irrigation 채널이 있다. 일반적으로 시술 보조자(간호사)가 SpyScope의 irrigation port에 20-50 cc syringe를 이용하여 지속적으로 투여하거나(**Fig. 7**), water pump를 연결하여 수압을 낮춰 이용할 수도 있다.

SpyGlass 검사 후 일반적으로 가장 흔히 동반되는 합병증은 담관염이다. 이는 SpyGlass 검사/시술 도중에 사용한 irrigation, contrast injection과 관련이 있다. 또한 lithotripsy 시행 시 발생된 결석 파편 또는 오니가 irrigation에 의해 peripheral duct를 막아서 담관염이 유발되기도 한다. 이런 검사 후 담관염을 예방하기 위해 suction은 가장 중요한 준비사항이다. SpyGlass 시행도중에는 십이지장경에 사용하던 suction line을 빼서 SpyScope의 suction port에 연결하여 suction을 하게 된다. 물론 suction system이 추가로 있으면 십이지장경의 suction을 유지할 수 있고, 시술 전후 준비과정에서 번거로움을 줄일 수 있어서 더욱 바람직하다. Y-port connector의 모든 port(녹색 원)를 잠그면 SpyScope™의 working channel을 통해 suction이 진행된다(**Fig. 8**). 20 cc syringe를 사용하면 wall suction보다 더 정교한 조절이 가능하다.

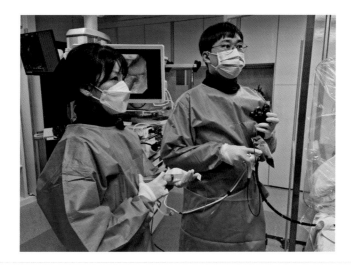

Fig. 7 Operator and assistant. During the procedure, the nurse must continue irrigating. At the same time, the operator should properly adjust the Y-port to perform suction.

Fig. 8 Y-port of SpyScope

3) SpyScope의 개봉 및 연결 시 주의할 점

시술 보조자는 SpyScope의 Box를 개봉하여 SpyScope을 꺼낸 후 우측 상단부부터 cover를 제거한다. Connector cable 부분을 케이스에서 꺼내서 놓는다. 이때 scope을 한꺼번에 다 꺼내서 tip이 바닥이나 주변에 닿지 않도록 주의하는 것이 좋다. Connector cable을 꺼내서 controller에 연결하는 순간까지 플러그를 잘 확인하고 잡아서 cable connector 사이에 있는 센서를 절대 손으로 만지지 않도록 주의한다. 커넥터의 파란색 화살표가 위쪽을 향하도록 하여 controller에 딸깍 소리가 들릴 때까지 확실히 결합시킨다(**Fig. 9**). 작업채널 포트에 물을 통과시킨 후 패키지에 포함되어 있는 Y포트 어댑터를 연결하도록 한다.

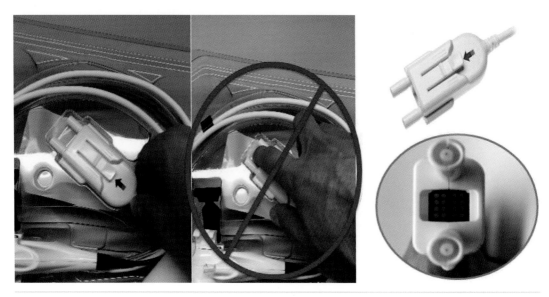

Fig. 9 Preparation of SpySope

SpyGlass 기본 술기

1) Timing

SpyGlass를 시행할 때는 SpyScope의 직경을 고려해서 약 3.5 mm 이상으로 담도 입구가 확보되어 있어야 한다. 따라서 Full EST 혹은 EPBD 후에 시행하게 된다. Naïve papilla에서 EST/EPBD 시행 직후 SpyGlass를 시행할 때는 ERCP 후 췌장염, EST 부위 출혈의 위험성이 높을 수 있어 주의가 필요하다. 2021년 현재 국내 보험급여 기준에는 기존 ERCP시술로 실패한 담석 제거 및 첫 번째 ERCP로 조직검사를 실패한 경우에 급여인정이 되기 때문에, 대부분의 SpyGlass는 second session 이상의 ERCP로 시행될 것으로 판단된다.

2) Insertion of SpyScope

시술 보조자가 시술자에게 SpyScope을 건네 주면, 시술자는 십이지장경의 working channel을 통해서 삽입을 한다(유도 철사를 따라서 SpyScope을 삽입하는 경우에는 ERCP 악세서리와 같은 방식으로 하면 된다). 이때 보조자는 SpyScope의 핸들을 스트랩을 이용하여 십이지장경의 핸들, working channel 입구 아래에 시술자가 선호하는 적절한 위치에 부착을 해준다(**Fig. 10**). 이어서 connector port를 controller에 연결을 하고 정상적으로 라이브 화면이 나오는지 확인한다. 앞에서 언급한 대로 십이지장경에 연결되어 있는 suction line을 빼거나 추가로 준비된 suction line을 SpyScope의 suction port에 연결해주고 irrigation을 위한 syringe 혹은 water pump를 연결하면 SpyGlass를 시행할 준비가 완료된다(**Fig. 11**).

　　SpyScope을 담도 내부로 진입할 때는 병변의 상태/위치, 십이지장경의 상태/위치, 시술자의 선호도, 숙련도에 따라서 유도 철사 없이 담도 내부로 삽입할 수도 있고, 유도 철사를 따라서 담도 내부로 삽입할 수도

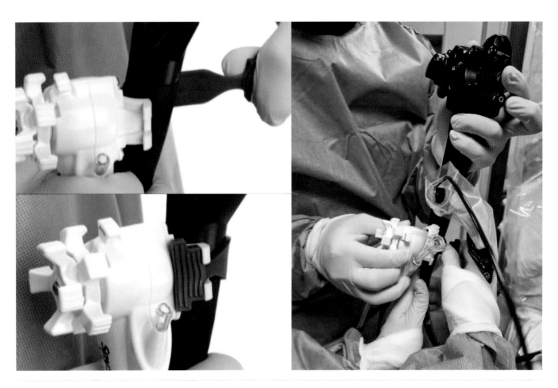

Fig. 10 Attaching the SpySope to the duodenoscope

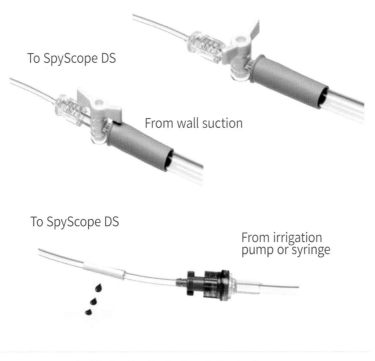

To SpyScope DS

From wall suction

To SpyScope DS

From irrigation
pump or syringe

Fig. 11 Attaching the SpySope to the duodenoscope

있다. 이때 SpyScope의 핸들의 다이얼을 적절히 사용하여 papilla 주변 및 담도 입구에 조직 손상을 최소화하면서 부드럽게 진입할 수 있는 각도를 만들어 주어야 한다. Locking knob을 절반 정도만 걸어주면 원하는 앵글에 유지도 되면서 필요시 lock을 풀지 않고도 앵글을 조절할 수 있다. 또한 십이지장경의 elevator 사용을 최소한으로 해야 십이지장경 및 Spyglass의 손상을 최소화할 수 있다. 진입 방향 및 각도를 십이지장경의 elevator를 이용하여 무리하게 조작하려다 보면 elevator가 손상되거나 wire가 끊어지거나 SpyScope이 손상될 수 있으므로 십이지장경의 up-ward 다이얼을 이용하도록 하는 것이 좋다.

3) 담도내시경 기본 술기

SpyScope이 담도 내부로 진입하면 시술 보조자는 controller에 lamp 버튼을 눌러 라이트를 켜주고 필요시 적절한 밝기로 조절해준다. 또한 앞에서 언급했던 것과 같이 1개의 suction line을 이용한다면 십이지장경경에 연결되어 있는 suction line을 빼서 SpyScope의 suction port와 연결을 시켜준다. 이때부터 시술자는 시술이 끝날 때까지 십이지장경을 통해서 십이지장 내강의 air, water 등이 흡인이 되지 않음을 반드시 기억해두고 무의식적으로 십이지장경의 air 노즐을 통해서 필요없이 과다한 공기가 들어가지 않도록 해야 한다. SpyGlass 도중에 십이지장 내부 및 papilla의 상태, SpyScope 등을 확인하기 위해서 필요시 air를 이용하여 십이지장을 팽창시켜야 할 경우가 있기 때문에 air를 완전히 끄는 것은 권장하지 않는다. 시술자는 십이지장경의 위치 및 upward dial의 위치가 고정되도록 up down 다이얼의 lock을 걸어서 유지해주는 것이 좋다.

SpyScope이 담도 내부에 진입이 되면 시술자는 십이지장경과 SpyScope을 동시에 조절하여 담도 내부를 관찰하게 된다. 이러한 이유로 SpyGlass를 단일시술자 담도내시경(single-operator cholangioscopy, SOC)이라고 부른다. 시술자는 fluoroscopy/X-ray 화면, 내시경(십이지장경) 화면 및 SpyGlass 화면 이렇게 3개의 화면을 동시에 보면서 담도 내부 영상 및 관찰 부위의 위치를 파악한다. 이때 담도 내부의 병변 및 상태를 관찰하기 위해서 시술자는 십이지장경의 up/down 다이얼, 십이지장경의 시계/반시계방향으로의 rotation, 십이지장경의 십이지장에서의 위치(미세한 withdrawal 및 insertion 조절), SpyScope의 insertion/withdrawal 그리고 SpyScope handle의 두 개의 dial을 이용한 SpyScope tip의 조작, 이렇게 총 5개의 조작법 중 여러 개를 조합하여 매우 세밀한 움직임으로 보고자 하는 병변을 관찰하게 된다. 이와 동시에 Y-port를 이용한 suction, 유도철사, SpyBite forceps, SpyGlass용 basket/snare 및 EHL/LL probe 등을 필요로 하는 시술을 하게 된다면 매우 복잡하고 어려운 시술이 될 수 있다.

조작에 익숙하지 않은 초심자는 담도의 중간에 SpyScope을 위치하여 원하는 곳을 관찰하기가 어렵다. 담관의 벽에 SpyScope의 끝이 닿아서 angle 조작에도 원하는 병변의 확인이 어렵다. 이러한 경우 최대한 담도 깊숙히 SpyScope을 진입시켜 회수(withdrawal) 하면서 병변을 관찰하는 것이 보다 더 수월할 수 있다. 어려울 경우에는 유도철사를 따라서 진입하여 확인하는 것이 좋다. 이 경우 6시 방향에서 와이어가 시야를 방해하는 경우도 있으니 검사 상태에 따라 적절히 유도철사를 진입/회수하면서 병변을 관찰하는 것이 좋다.

SpyGlass 도중에 fluoroscopy를 확인하여 SpyScope의 tip, 확인 중인 병변의 위치를 정확히 아는 것이 꼭 필요하다. 추후에 검사결과를 리뷰하거나 수술을 위해 외과와 협진 등을 위한 mapping을 하는 경우에는 각 센터마다 약속된 방식대로 SpyGlass 사진과 당시의 fluoroscopy 사진을 동시에 저장하여 위치를 정확히 파악할 수 있도록 하는 것이 중요하다.

SpyScope의 tip은 dial의 조작에 따라 + 방향이 아닌 X자 방향으로 작동함을 꼭 기억해야 한다(Fig.12).

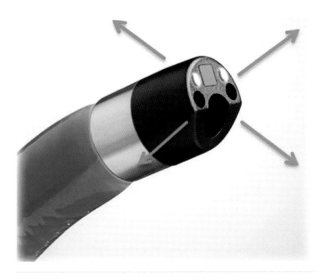

Fig. 12 Control direction of SpyScope tip

SpySocpe의 dial 조작방향은 위, 대장내시경과 같은 일반 내시경 스코프(scope)의 up down, right left 방식이 아니기 때문에 보통 원하는 방향으로의 tip angle 조작은 큰 다이얼과 작은 다이얼을 동시에 미세하게 조절하면서 맞추게 되고 이때 십이지장경의 적절한 위치 조절을 겸해주는 것이 큰 도움이 된다.

4) 좋은 화질의 SpyGlass영상 저장

SpyGlass DS system은 일반적인 내시경 시스템과 달리 still image (freeze-frame)를 자체적으로 지원하지 않는다. 라이브 영상만을 재생하기 때문에 이를 사진으로 남기기 위해서는 별도의 영상 저장용 컴퓨터(PACS 전송용 게이트웨이 컴퓨터 포함)에서 Freeze frame capture 기능을 지원하거나 영상을 freeze없이 capture하는 방식으로 저장/전송을 해야 한다. 하지만 영상 frame이 낮기 때문에 저장/전송된 상당수의 사진이 검사 후 리뷰해보면 흔들려 있는 경우가 많기 때문에, 가능한 여러 장의 사진을 저장하고 필요시 동영상으로 같이 저장해 두는 것이 바람직하다.

　검사 도중 지속적으로 water irrigation을 해주는 것이 병변을 깨끗하게 관찰하는 데 도움이 된다. 병변과 SpyScope 사이에 물이 채워져 있는 underwater cholangioscopy를 유지해 주기위해서 보조자는 적절한 압력/속도로 물을 주입해주는 것이 좋다. 이때 시술자는 Y-port connector/adaptor를 적절히 조절하여 suction을 반드시 함께 시행해야 한다. 필요에 따라서 SpyScope을 통해 조영제를 주입하여 담관, 병변, SpyScope의 위치 등을 파악하는 경우가 있다. 이런 경우나 SpyGlass 시행 전 담관에 조영제를 주입한 경우에는 병변을 깨끗하게 관찰하기가 어려울 수 있으니 SpyGlass 검사 전에 조영제를 최대한 사용하지 않거나 water irrigation/suction하여 조영제를 최대한 제거하는 것이 좋다.

　시술 전 협착부위에 대해서 balloon dilation을 시행한 경우에도 해당부위에 출혈 등으로 인해서 시야 확보가 어려운 경우가 있으니 balloon dilation 후 1-2일 후 ERCP를 시행해서 SpyGlass를 하는 것도 좋은 선택이 될 수 있다.

5) 조직검사

병변에서 조직검사를 위해서는 target lesion을 충분히 확인 및 관찰한 후에 시행한다. 간외 담도(extrahepatic bile duct)와는 달리 간내 담도(intrahepatic bile duct)는 병변 확인 후 다른 부위까지 관찰한 후에 다시 접근하여 조직검사를 하기가 어려운 경우가 많다. 따라서 재접근이 어려운 병변이거나 SpyScope 조작의 기술적 어려움이 있을 때는 관찰과 동시에 조직검사를 하고 다른 담관으로 이동하여 검사하는 것이 좋다. 조직검사를 여러 곳에서 시행하거나 수술 전 resection margin 설정을 위한 mapping biopsy의 경우에는 추후에 정확한 조직검사 위치 구분을 위해 SpyBite forceps이 삽입된 fluoroscopy 영상을 동시에 남겨놓는 등 시술자 및 센터만의 약속된 방법으로 기록해 두는 것이 좋다. SpyBite biopsy forceps(이하, SpyBite)와 같은 악세서리를 삽입할 때는 제품이 삽입 중에 꺾이지 않도록 짧게 잡아넣는 'short–stroke' 방식을 사용한다(Fig. 13). 강한 저항으로 인해 SpyScope의 악세서리 채널에 SpyBite forceps (lithotripsy 시에 EHL, LL probe도 마찬가지다)이 들어가지 않을 때가 있다. 이런 경우 대부분 SpyScope이 담관 안에 위치할 때 elevator나 십이지장경이 뒤틀린 말단부에 의해 급격한 각도가 만들어지기 때문이다. 이런 경우 강한 힘에도 삽입이 안된다면, SpyScope를 십이지장으로 빼서 일직선으로 만든 후에 SpyBite 혹은 EHL probe를 SpyScope의 tip까지 삽입한 후에 담도로 재진입 해야 한다. 혹시 가능한 저항이 느껴지는 곳에서 SpyScope을 담관에 더욱 깊이 삽입하면 SpyBite 혹은 EHL probe의 tip이 위치한 꺾인 악세서리 채널이 펴지면서 삽입이 되는 경우도 있다.

　　SpyBite를 이용한 조직검사 시에는 채취되는 조직의 양이 병변의 성질에 따라 충분하지 않는 경우가 많

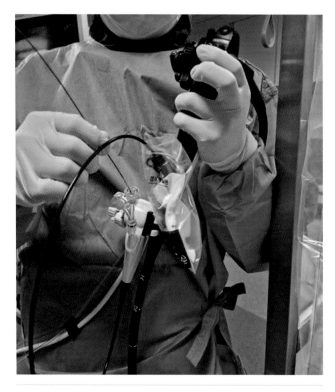

Fig. 13 Insertion of SpyBite forceps

다. 또한 화면의 6시 방향에서 SpyBite가 나오기 때문에 10시에서 2시 방향의 화면 위쪽에 있는 병변의 조직 검사가 어렵고, forceps이 회전이 되지 않고 크기가 작기 때문에 육안적으로 잘 보이는 병변이라도 조직검 사가 어려운 경우가 많다.

6) SpyGlass를 이용한 담석 쇄석술(Lithotripsy)

SpyGlass를 이용한 담석 쇄석술을 시행할 때 EHL 또는 LL 중에 어떤 것을 선택할지는 각 센터마다 사용 가능한 환경, 조건 및 시술자의 경험, 선호도에 따라 결정된다. SpyScope을 담도 내부로 진입하여 target stone을 확인한 후에 EHL probe 혹은 Laser probe를 화면의 6시 방향에서 Tip이 보일 때까지 SpyScope의 working channel로 삽입한다. EHL, LL 시에 setting하는 power/energy는 낮은 energy로 시작해서 효과 적으로 stone이 fragmentation되는 레벨까지 올려서 사용한다. 이때 probe의 tip이 SpyScope의 tip과 너무 가까우면 렌즈(비디오이미징센서)가 손상될 수 있음을 주의해야 한다. EHL의 경우 보통 경피경간 담도내 시경(percutaneous transhepatic cholangioscopy, PTCS) 때 사용하는 probe보다 매우 얇고 길기 때문에 효과적 인 에너지 전달이 잘되지 않아서 2-3개의 probe를 사용해야 하는 경우가 흔하다. 효과적인 에너지 전달을 위해서 반드시 probe와 stone은 약 1 mm 정도 거리가 있는 것이 좋고 그 사이에는 물이 채워져 있어야 한 다. 내시경유두큰풍선확장술(endoscopic papillary large balloon dilation, EPLBD) 등을 시행해서 담도에 물이 차지 않는 경우에는 환자의 자세를 바꾸어 보는 것도 좋은 방법이다. Water pump를 사용하여 높은 압력을 물을 채워서 물이 빠져나가는 속도보다 빨리 물을 채우는 것도 좋은 기술적 대안이 될 수 있다. 또한 풍선 카 테터로 담관을 막고 SpyGlass를 할 수 있다. 그러나 이 절차는 십이지장경을 다시 삽입해야 하므로 복잡하 고 시간이 많이 걸린다. 이 밖에 시술자 및 센터의 경험을 살려서 해결해보도록 해야 한다.

Normal biliary tree during single-operator cholangioscopy

– 단일시술자 담도내시경을 통한 정상 담도 소견

이경주 김재우

SpyGlass는 담관내강의 형태와 담관 상피의 변화를 관찰하는 최적의 검사기구이다. 담관내강은 생리식염수를 이용하여 세척하면서 백색광으로 관찰하게 되며 담관내강 시야 선명도는 세척의 적절도에 따라 향상시킬 수 있다.

정상적인 담관에서는 담관 전체에 걸쳐 점막은 부드러운 크림같은 진주색을 띠고 있다. 점막함몰이 관찰될 수 있으며 특히 원위부 담관에서 뚜렷하게 보인다. 담관을 확장시키면 점막함몰이 사라지는 경향이 있다. 상피 아래의 혈관의 윤곽이 잘 나타나 있고 혈관 연결들이 잘 보인다. 융모돌기는 특히 원위부 담관에서 현저하게 나타난다. 융모돌기들은 일정하고 비혈관성이며 짧은 줄기를 가지고 있다.

SpyGlass를 원활하게 삽입하기 위해서는 내시경괄약근절개술을 먼저 시행하여 담관 입구를 확대시키는 것이 필요하다. 이후 조영제를 담관 내부에 주입하여 정상담관의 구조를 파악한뒤 유도선을 따라 SpyGlass를 삽입하는 것이 안전하다(Fig. 1). 근위부 담관까지 접근하고 나서 담관 내강의 선명한 영상을 얻기 위해 생리식염수로 세척하여 조영제를 제거하는 것이 반드시 필요하다. 우측 간내담관으로 접근하면 6시 방향에 가장 큰 분지 입구인 right anterior segment duct (RAS)가 위치하고 12시 방향에는 S7과 S6이 합쳐져서 right posterior segment duct (RPS)로 보이거나 나누어져 보일 수 있다(Fig. 2).

좌측 간내담관으로 접근하기 위해서는 SpyGlass를 총간관(common hepatic duct)까지 위치한 뒤 유도철사를 좌측 간내담관으로 넣은 다음 접근하는 것이 도움된다(Fig. 3). 좌측 간내담관으로 접근하면 5시 방향에 가장 큰 분지 입구인 left hepatic duct (LHD)가 보이고 11시 방향에서 S1으로 들어가는 작은 분지가 관찰된다(Fig. 4). 정확한 분지나 위치를 확인하기 위해서 유도선을 이용하거나 약간의 조영제를 주입하는 것이 검사에 도움이 된다. 조영제를 주입한 경우에는 다시 생리식염수로 세척하여 조영제를 제거하는 것이 필요하다.

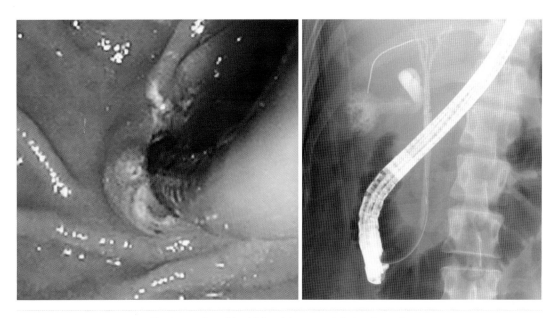

Fig. 1 Insertion of the SOC and the normal cholangiography

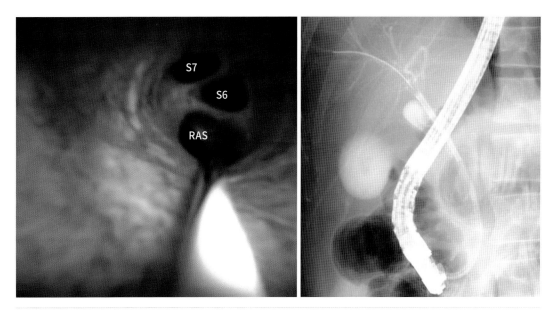

Fig. 2 The SOC is inserted into the right intrahepatic duct. RAS: right anterior segment duct

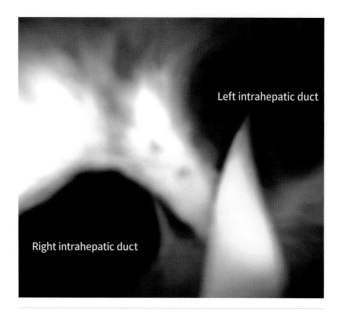

Fig. 3 The SOC is located at common hepatic duct.

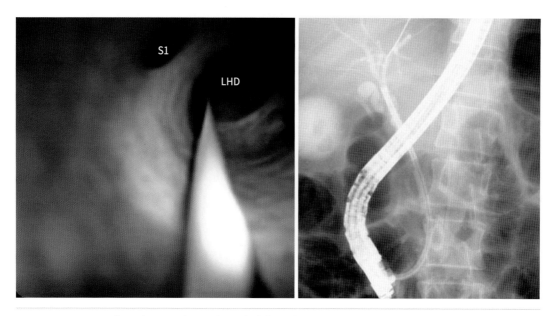

Fig. 4 The SOC is inserted into the left intrahepatic duct. LHD: left hepatic duct

양측 간내담관을 관찰한 후에는 SpyGlass를 서서히 후퇴하면서 담관을 관찰한다. 이때 SpyGlass를 담관 내강의 중앙에 맞춘 상태에서 관절 잠금장치를 고정하고 후퇴하면 더 안정적으로 관찰하고 영상을 얻을 수 있다. 중간 지점에서는 cystic duct를 관찰할 수 있고 필요에 따라 유도선을 넣어서 담낭 내로 선택적 삽관을 할 수 있다(**Fig. 5**). SpyGlass가 원위부 담관까지 내려오게 되면 점막함몰이 뚜렷하게 관찰된다(**Fig. 6**).

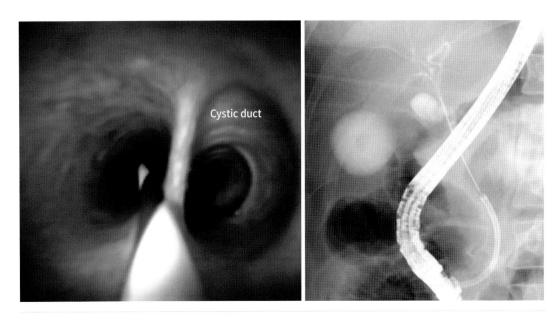

Fig. 5 The SOC shows the opening of the cystic duct.

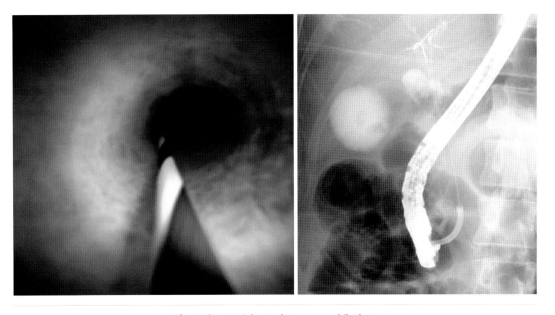

Fig. 6 The SOC is located at common bile duct.

정상췌관의 경우에는 췌관이 좁아서 SpyGlass가 안 들어가거나 합병증을 일으킬 수가 있다. 췌관을 관찰할 경우에는 췌관이 충분히 확장된 경우에만 SpyGlass를 사용하는 것이 권고된다.

References

1. Derdeyn J, Laleman W. Current role of endoscopic cholangioscopy. Curr Opin Gastroenterol 2018;34:301–8.

2. Ishii Y, Serikawa M, Tsuboi T, Kawamura R, Tsushima K, Nakamura S, et al. Usefulness of peroral cholangioscopy in the differential diagnosis of igg4–related sclerosing cholangitis and extrahepatic cholangiocarcinoma: A single–center retrospective study. BMC Gastroenterol 2020;20:287.

3. Itoi T, Osanai M, Igarashi Y, Tanaka K, Kida M, Maguchi H, et al. Diagnostic peroral video cholangioscopy is an accurate diagnostic tool for patients with bile duct lesions. Clin Gastroenterol Hepatol 2010;8:934–8.

4. Kageshita T, Hamby CV, Hirai S, Kimura T, Ono T, Ferrone S. Alpha(v)beta3 expression on blood vessels and melanoma cells in primary lesions: Differential association with tumor progression and clinical prognosis. Cancer Immunol Immunother 2000;49:314–8.

General applications and clinical results

– SpyGlass의 임상 적용 및 연구

이상협 조인래

 SpyGlass의 적응증

SpyGlass는 십이지장경의 겸자공을 통해 삽입이 가능하며, 유도철사(guidewire)를 따라 담관 및 췌관 내로 진입하여 담췌관 내부를 직접 시각화할 수 있는 단일시술자 담도내시경(single-operator cholangioscopy, SOC) 이다. SpyGlass는 고해상도 디지털 이미지로 담관과 췌관의 내부를 직접 영상화할 수 있어 기존에 투시경 (fluoroscopy) 하에서만 이루어졌던 담췌관의 다양한 시술에 도움을 줄 수 있다. SpyGlass의 대략적인 적응증은 **Table 1**과 같다.

Table 1. Indication of SpyGlass	
진단적 목적	**치료적 목적**
• 담관협착 및 담관 내 음영결손의 진단 　– 병변의 육안적 소견 확인 및 조직검사 • 담관 내 잔여결석의 확인 • 담관암의 침윤 범위 확인 • 주췌관협착의 진단 • 췌관내유두점액종양(intraductal papillary mucinous neoplasm, IPMN)의 침윤 범위 확인	• 치료가 어려운 담석 및 췌석의 제거 • 담관 및 주췌관 내의 이물질 제거 • 담관 내 종양의 치료(소작술) • 담관 협착의 치료(유도선 및 기구 삽입)

1) 진단적 목적

SpyGlass를 통해 담관 및 췌관의 내부 구조와 병변을 직접 관찰할 수 있고, 조직검사를 수행할 수 있어 전산화단층촬영(computed tomography, CT), 자기공명영상(magnetic resonance imaging, MRI)과 같은 영상검사나 내시경역행성담췌관조영술(endoscopic retrograde cholangiopancreatography, ERCP)을 통해 감별이 어려웠던 담관 및 췌장 병변의 진단에 유용하게 사용할 수 있다.

(1) 담관 협착의 진단

담관 협착은 다양한 질환에 의해 유발될 수 있으며, 양성 담관협착과 담관암, 담관내유두상종양(intraductal papillary mucinous neoplasm of the bile ducts, IPNB)과 같은 종양성 질환을 구별하는 것은 임상적으로 매우 중요하다. 담관 협착 병변의 정확한 감별진단을 위해 ERCP를 통한 세포진검사(brush cytology)와 겸자를 이용한 생검(forceps biopsy)이 수행되고 있으나, 진단의 민감도는 약 43–81% 정도로 보고되어 있어 애매한 협착(indeterminate stricture)의 진단에는 제한이 있다.

SpyGlass를 이용하면, 담관 협착부의 점막을 직접 확인하고, 원하는 부위에서 조직검사(targeted biopsy)를 시행할 수 있어 진단의 정확도를 높일 수 있다. 악성 담관 협착을 시사하는 특징적인 육안 소견(**Fig. 1**)으로는 불규칙하게 확장되고 구불구불한 주행을 보이는 혈관, 관강내로 돌출하는 결절상 점막 융기나 종괴 소견, 출혈을 동반한 과립상, 유두상 점막소견이 있으며, 양성 협착을 시사하는 소견(**Fig. 2**)으로는 혈관신생(neovascularization)이나 관내 종괴를 동반하지 않는 평활한 점막, 균일하고 미세한 과립상의 점막이 있다.

담관경에서 관찰되는 담관협착부의 육안적 소견이 담관협착의 감별진단에 도움이 되는 것으로 알려져 있는데, Navaneethan 등은 systemic review를 통해 담관경 육안적 소견으로 담관협착의 감별진단을 수행

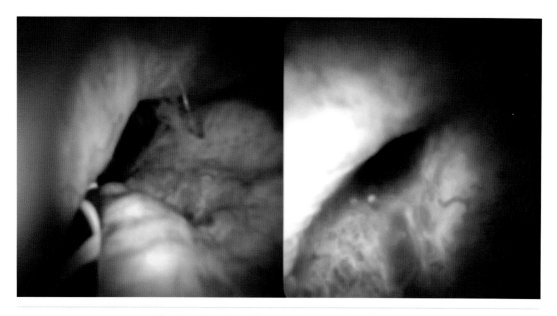

Fig. 1 SpyGlass views showing a malignant biliary lesion.
Dilated tortuous vessels and irregular mucosal nodularity are noted.

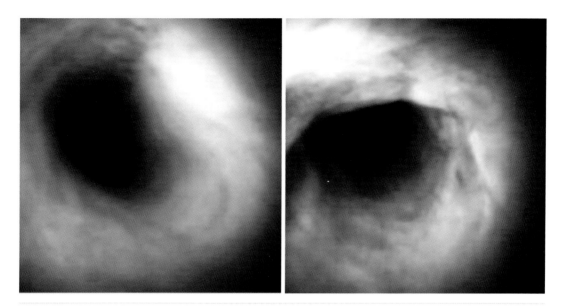

Fig. 2 SpyGlass views showing a benign biliary stricture.

했을 때 민감도와 특이도가 각각 84.5%와 82.6%임을 보고하였다. Digital SOC인 SpyGlass–DS system은 기존의 담관경 보다 고해상도의 화상을 얻을 수 있는데, 최근 발표된 후향적 연구에서 진단 민감도가 90–96.6%, 특이도가 93.3–95.8%로 담관경을 활용한 이전 연구들에 비해 개선된 결과가 보고되었다.

또한 SpyGlass에 있는 1.2 mm 직경의 겸자공을 통해 3 Fr의 1회용 생검 겸자(SpyBite™)를 투입할 수 있어 고해상도 이미지 하에서 병변을 직접 보며 조직검사를 수행할 수 있다. 담관경하 생검을 시행하면 투시경하 ERCP를 통해 조직검사를 수행했을 때 비해 진단율이 높으며, ERCP와 초음파내시경(endoscopic ultra-sound, EUS)을 통해 진단이 어려웠던 환자들의 감별진단에 유용하게 활용할 수 있다. SpyGlass를 이용해 조직검사를 시행하였을 때 악성질환 진단의 민감도와 특이도는 각각 80–86.2%, 96.8–100%로 보고되었으며, 진단의 정확도도 88.7–89%로 보고되었다.

(2) 담관암의 침윤범위 확인

담관암의 근치적 수술을 시행하기 전 담관암의 침윤범위를 확인하는 것은 절제범위를 결정하는 데 중요하다. 담관암 환자의 약 15–20% 내외에서, 담관상피를 따라 표재성 진전(superficial spread)을 하는 것으로 알려져 있는데, 이 경우 CT, MRI나 ERCP 소견만으로는 정확한 침윤범위를 확인하기 어렵다. SOC는 담관암의 담관상피내 침윤 범위를 판단하여 절제 범위를 결정하는데 유용하게 사용될 수 있다(**Fig. 3**). SpyGlass를 이용한 대규모 연구는 아직 없으나, SOC와 마찬가지로 담관암의 침윤범위를 확인하는 데 도움을 줄 것으로 기대된다.

(3) 원발성 경화성 담관염에서의 활용

원발성 경화성 담관염(primary sclerosing cholangitis, PSC)은 담관의 만성 염증성 질환으로, 담관의 섬유화와

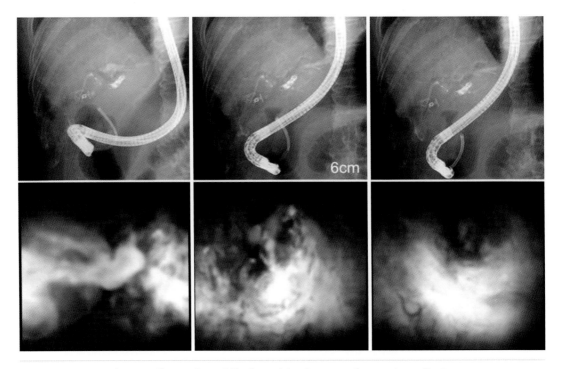

Fig. 3 SpyGlass can be useful in determining the extent of surgery by confirming the degree of superficial spread of cholangiocarcinoma.

다발성 협착을 유발한다. PSC는 담관암의 주요한 위험요인으로 PSC 환자에 호발하는 담관협착에 대해 정확한 감별진단이 중요하지만 통상적인 영상검사 및 ERCP 소견으로는 PSC 환자의 양성, 악성 협착을 감별하기 어렵다.

SOC를 통한 검사는 PSC 환자에게 발생한 담관 협착의 감별진단에 도움이 된다. 육안 소견상 담관 상피가 비교적 부드러운 과립상의 형태를 보이고, 표면에 점액 피브린(mucus fibrin)이나 반흔, 위게실(pseudo-diverticulum)이 보이는 경우 양성 협착을 시사하는 것으로 판단할 수 있다. 경구 담관경을 통한 조직검사를 시행하면 담관암을 진단하는 데 추가적인 도움을 받을 수 있는데, PSC 환자에서 경구 담관경을 통한 조직검사를 시행하였을 경우 약 96%의 정확도와 함께 65%, 97%의 민감도 및 특이도를 보이는 것으로 보고되었다.

하지만, PSC 환자들은 다발성 협착을 보이고 담관 내 직경이 좁은 경우가 많아 SOC나 Splyglass가 진입하는데 제한이 있고 합병증이 발생할 가능성이 있어 주의를 요한다.

(4) 담관 내 잔여결석의 확인

SpyGlass는 ERCP 및 기타 영상에서 확인되지 않는 담관 내의 작은 결석을 확인하는 데 사용할 수 있다. 최근 발표된 국내 연구에서는 ERCP를 통해 담석제거술을 시행한 뒤에도 약 15%의 환자에서 담관 내 잔여결석이 남아 있는 것으로 보고하였으며, 잔여결석이 존재하는 경우 ERCP 후에도 담관염이 재발하거나 담석성 췌장염이 발생할 수 있다. Itoi 등은 ERCP를 통해 담관결석제거술을 시행한 후 풍선 담관 조영술(balloon-occluded cholangiography)을 통해 잔여결석이 발견되지 않은 108명의 환자를 대상으로 경구 담관경 검사를 시행하였을 때, 26명(24%)의 환자에서 잔여결석이 확인되었음을 보고하며, 경구 담관경이 잔여결석을 확인하는데 유용함을 보고하였다.

(5) 췌관 병변의 진단
담관 병변의 감별진단과 마찬가지로, 주췌관의 협착, IPMN의 감별진단 및 침윤 범위 확인을 위해 SpyGlass가 활용될 수 있다. Hara 등의 연구에 의하면, IPMN의 췌관경 소견은 granular type, fish-egg like type (with or without vascularity), villous type 및 vegetative type으로 구별할 수 있으며, vascularity는 악성 병변을 시사하는 소견이라고 보고되었다.

SpyGlass를 활용한 췌관 병변 진단의 유용성에 대해서는 보고가 많지 않으나, SpyGlass를 통한 조직검사 및 irrigation cytology가 양성과 악성을 감별하는 데 활용될 수 있으며, 췌장의 절제 범위를 결정하는 데 있어서의 유용성이 보고된 바 있다.

SpyGlass의 해상도 개선으로 췌관 병변의 감별진단에 보다 용이하게 활용될 것으로 기대되지만, 췌관은 담관에 비해 직경이 가늘고 구불구불하게 주행하므로, 췌관 입구와 내부가 충분히 확대되어 있지 않은 경우 10.8 Fr 직경의 SpyGlass를 주췌관 내로 삽입하기 어렵다는 제한점이 있어 시술자의 경험과 주의가 요구된다.

2) 치료적 목적

(1) 치료가 어려운 담관 담석 및 췌석의 제거
대부분의 담관 담석은 통상적인 투시경하 ERCP 시술을 통해 제거할 수 있다. 하지만, 담석의 크기가 크거나 (>15 mm), 다수인 경우(>3 stones), 간내 담관이나 담낭관과 같이 접근이 어려운 위치에 있는 경우, 결석의 하부에 협착이나 해부학적 이상을 동반한 경우에는 ERCP를 통한 투시경하 담석제거가 어려운 것으로 알려져 있다.

ERCP를 통해 제거가 어려운 담관 담석 환자에게 경구 담관경하 레이저 쇄석술(laser lithotripsy, LL)이나 전기수압 쇄석술(electrohydraulic lithotripsy, EHL)이 이루어지고 있다(**Fig. 4**). 경구 담관경을 통한 LL의 담관 담석 제거율은 85-98%로 보고되고 있으며, EHL의 담관 결석 완전제거율은 64-97%로 보고되고 있다. 부작용으로는 경도의 담관출혈, 담관염, 담관천공이 있으며, 10% 미만으로 보고되고 있다.

최근 SpyGlass를 통한 EHL/LL의 치료 성적이 보고되고 있는데, Kurihara 등이 발표한 연구에서 통상적인 ERCP를 통한 제거술에 실패한 담관담석 환자의 74.2%에서 SpyGlass를 통한 쇄석술로 담석을 제거하였다고 보고하였으며, Laleman 등은 82.1%의 성공률을 보고하였다. 407명의 난치성 담관 담석 환자를 대상으로 후향적으로 분석한 연구에서 SpyGlass 유도하 EHL/LL의 치료 성공률은 95% 이상으로 보고되었으며, 3.7%의 환자에서만 부작용이 발생하였음이 확인되었다.

SpyGlass를 통한 췌장결석 쇄석의 성공 증례도 보고 되었는데, 앞서 언급하였듯 주췌관은 총담관보다 가늘고 구불구불하게 주행하므로, 주췌관이 SpyGlass를 삽입할 수 있는 정도로 확대되어 있고, 췌장 두부에 결석이 존재하는 증례에 한정될 것으로 보인다(**Fig. 5**).

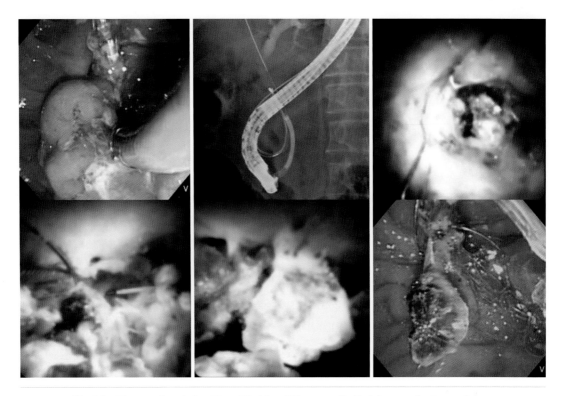

Fig. 4 SpyGlass was inserted and laser lithotripsy (LL) was applied to take care of entrapped stone in a fractured basket. After LL, fractured basket and fragmented stones were successfully extracted.

(2) 담관 협착의 치료

SpyGlass를 통해 협착부를 직접 관찰하면서 근위부로 가이드와이어를 유치할 수 있다면, 통상적인 ERCP를 통해 해결이 어려운 양성, 악성 담관협착의 치료에 도움을 받을 수 있다. Bokemeyer 등이 23명의 담관협착 환자를 대상으로 후향적으로 분석한 연구에서는 SpyGlass를 이용해 70%의 환자에서 가이드와이어 유치가 성공하였음을 보고하였다.

간이식 후 발생한 담관협착의 치료에서도 SpyGlass의 유용성을 보고한 연구들이 있으며, 앞서 언급한 Bokemeyer의 연구에서도 9명의 환자가 이식 후 발생한 담관협착으로 치료받았으며, 국내 연구에서도 생체간이식 후 발생한 담관협착에서 SpyGlass를 이용해 60%의 환자에서 가이드와이어 유치에 성공하였음을 보고하였다. 또한, 간이식 후 반복되는 문합부 협착에 대해 협착부의 풍선확장술과 SpyGlass 유도 스테로이드 주사로 치료한 연구결과도 보고되어 향후 활용가능성이 기대된다.

(3) 담관 종양에 대한 국소치료

담관 종양에 대한 국소치료로서 광역동 치료(photodynamic therapy, PDT)와 고주파 열치료(radiofrequency ablation,. RFA)가 시행되고 있다. 현재까지는 투시경하에서 십이지장경을 통한 경유두적 접근법이 주로 사용되었는데, 담관 내 병변의 정확한 평가가 어려웠다는 한계점이 있다. 최근 Ogura 등은 악성 담관 협착이 있

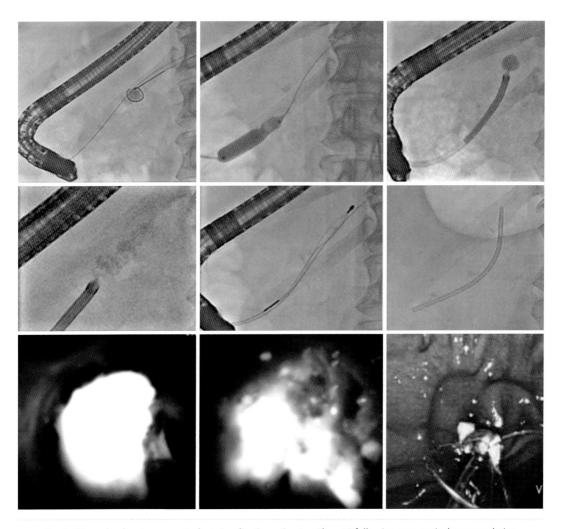

Fig. 5 EHL under direct pancreatic duct visualization using SpyGlass DS following pancreatic duct cannulation and pancreatic duct balloon dilation. Fragmented pancreatic duct stones were removed by basket.

는 환자에게 RFA를 시행하기 전/후 SpyGlass를 통해 담관 내 병변을 직접 평가하였을 때 임상적 유용성이 있음을 보고하였다. 또한 담관 내로 직접 내시경을 삽입하여 PDT를 시행한 국내 연구진의 보고도 있어 향후 SpyGlass를 활용한 담관 종양의 국소적 치료의 발전이 기대된다.

(4) 기타 적응증
이 밖에도 SpyGlass를 이용한 담관 및 췌관의 치료적 유용성이 기대되는 질환들이 있다. 전신상태 불량 등으로 수술이 어려운 급성 담낭염 환자에서 SpyGlass를 이용해 담낭관으로 선택적 삽관을 시행한 후 배액관을 삽입하였을 때 임상적 유용성을 기대할 수 있고, 담관 내 출혈이 반복되는 경우 직접 병변을 확인하고 소작술을 시행할 수 있다. 또한 담관 및 췌관 내 이물질(surgical clip 등)이나 이탈된 스텐트가 있는 경우에도

SpyGlass를 통한 제거를 시행할 수 있다.

개선된 SpyGlass-DS II system은 해상도가 향상되고 시야의 광각화, 광량의 증가와 더불어 다초점 조절 기능, 특수광 관찰 등의 부가 기능이 추가됨으로써, 적응증이 확대되고 유용성이 증가될 것으로 기대된다. 앞으로 SpyGlass의 직경이 더 작아지고, 겸자공을 통해 삽입이 가능한 새로운 치료 기구들이 개발된다면 더 많은 환자들이 도움을 받을 수 있을 것이다.

■ References

1. Ahn DW, Lee SH, Paik WH, Song BJ, Park JM, Kim J, et al. Effects of Saline Irrigation of the Bile Duct to Reduce the Rate of Residual Common Bile Duct Stones: A Multicenter, Prospective, Randomized Study. Am J Gastroenterol. 2018;113(4):548–55.

2. Arnelo U, von Seth E, Bergquist A. Prospective evaluation of the clinical utility of single-operator peroral cholangioscopy in patients with primary sclerosing cholangitis. Endoscopy. 2015;47(8):696–702.

3. Bokemeyer A, Gross D, Bruckner M, Nowacki T, Bettenworth D, Schmidt H, et al. Digital single-operator cholangioscopy: a useful tool for selective guidewire placements across complex biliary strictures. Surg Endosc. 2019;33(3):731–7.

4. Brewer Gutierrez OI, Bekkali NLH, Raijman I, Sturgess R, Sejpal DV, Aridi HD, et al. Efficacy and Safety of Digital Single-Operator Cholangioscopy for Difficult Biliary Stones. Clin Gastroenterol Hepatol. 2018;16(6):918–26 e1.

5. Chapman R, Fevery J, Kalloo A, Nagorney DM, Boberg KM, Shneider B, et al. Diagnosis and management of primary sclerosing cholangitis. Hepatology. 2010;51(2):660–78.

6. Choi HJ, Moon JH, Ko BM, Min SK, Song AR, Lee TH, et al. Clinical feasibility of direct peroral cholangioscopy-guided photodynamic therapy for inoperable cholangiocarcinoma performed by using an ultra-slim upper endoscope (with videos). Gastrointest Endosc. 2011;73(4):808–13.

7. de Bellis M, Sherman S, Fogel EL, Cramer H, Chappo J, McHenry L, Jr., et al. Tissue sampling at ERCP in suspected malignant biliary strictures (Part 2). Gastrointest Endosc. 2002;56(5):720–30.

8. Draganov PV, Chauhan S, Wagh MS, Gupte AR, Lin T, Hou W, et al. Diagnostic accuracy of conventional and cholangioscopy-guided sampling of indeterminate biliary lesions at the time of ERCP: a prospective, long-term follow-up study. Gastrointest Endosc. 2012;75(2):347–53.

9. Franzini T, Sagae VMT, Guedes HG, Sakai P, Waisberg DR, Andraus W, et al. Cholangioscopy-guided steroid injection for refractory post liver transplant anastomotic strictures: a rescue case series. Ther Adv Gastrointest Endosc. 2019;12:2631774519867786.

10. Hara T, Yamaguchi T, Ishihara T, Tsuyuguchi T, Kondo F, Kato K, et al. Diagnosis and patient management of intraductal papillary-mucinous tumor of the pancreas by using peroral pancreatoscopy and intraductal ultrasonography. Gastroenterology. 2002;122(1):34–43.

11. Hasan M, Canipe A, Tharian B, Navaneethan U, Varadarajulu S, Hawes R. Digital cholangioscopy-directed removal of a surgical staple from a strictured bile duct. Gastrointest Endosc. 2015;82(5):958.

12. Igami T, Nagino M, Oda K, Nishio H, Ebata T, Yokoyama Y, et al. Clinicopathologic study of cholangiocarcinoma with superficial spread. Ann Surg. 2009;249(2):296–302.

13. Itoi T, Sofuni A, Itokawa F, Shinohara Y, Moriyasu F, Tsuchida A. Evaluation of residual bile duct stones by peroral cholangioscopy in comparison with balloon-cholangiography. Dig Endosc. 2010;22 Suppl 1:S85–9.

14. Itoi T, Wang HP. Endoscopic management of bile duct stones. Dig Endosc. 2010;22 Suppl 1:S69–75.

15. Kalaitzakis E, Sturgess R, Kaltsidis H, Oppong K, Lekharaju V, Bergenzaun P, et al. Diagnostic utility of single-user peroral cholangioscopy in sclerosing cholangitis. Scand J Gastroenterol. 2014;49(10):1237–44.

16. Kawakami H, Kuwatani M, Etoh K, Haba S, Yamato H, Shinada K, et al. Endoscopic retrograde cholangiography versus peroral cholangioscopy to evaluate intraepithelial tumor spread in biliary cancer. Endoscopy. 2009;41(11):959–64.

17. Komaki Y, Kanmura S, Funakawa K, Komaki F, Hashimoto S, Taguchi H, et al. A case of hereditary hemorrhagic telangiectasia

with repeated hemobilia arrested by argon plasma coagulation under direct peroral cholangioscopy. Gastrointest Endosc. 2014;80(3):528–9.

18. Kurihara T, Yasuda I, Isayama H, Tsuyuguchi T, Yamaguchi T, Kawabe K, et al. Diagnostic and therapeutic single–operator cholangiopancreatoscopy in biliopancreatic diseases: Prospective multicenter study in Japan. World J Gastroenterol. 2016;22(5):1891–901.

19. Laleman W, Verraes K, Van Steenbergen W, Cassiman D, Nevens F, Van der Merwe S, et al. Usefulness of the single–operator cholangioscopy system SpyGlass in biliary disease: a single–center prospective cohort study and aggregated review. Surg Endosc. 2017;31(5):2223–32.

20. Nagayoshi Y, Aso T, Ohtsuka T, Kono H, Ideno N, Igarashi H, et al. Peroral pancreatoscopy using the SpyGlass system for the assessment of intraductal papillary mucinous neoplasm of the pancreas. J Hepatobiliary Pancreat Sci. 2014;21(6):410–7.

21. Nakanishi Y, Zen Y, Kawakami H, Kubota K, Itoh T, Hirano S, et al. Extrahepatic bile duct carcinoma with extensive intraepithelial spread: a clinicopathological study of 21 cases. Mod Pathol. 2008;21(7):807–16.

22. Navaneethan U, Hasan MK, Kommaraju K, Zhu X, Hebert–Magee S, Hawes RH, et al. Digital, single–operator cholangiopancreatoscopy in the diagnosis and management of pancreatobiliary disorders: a multicenter clinical experience (with video). Gastrointest Endosc. 2016;84(4):649–55.

23. Navaneethan U, Hasan MK, Lourdusamy V, Njei B, Varadarajulu S, Hawes RH. Single–operator cholangioscopy and targeted biopsies in the diagnosis of indeterminate biliary strictures: a systematic review. Gastrointest Endosc. 2015;82(4):608–14 e2.

24. Njei B, McCarty TR, Varadarajulu S, Navaneethan U. Systematic review with meta–analysis: endoscopic retrograde cholangio–pancreatography–based modalities for the diagnosis of cholangiocarcinoma in primary sclerosing cholangitis. Aliment Pharmacol Ther. 2016;44(11–12):1139–51.

25. Ogura T, Imanishi M, Kurisu Y, Onda S, Sano T, Takagi W, et al. Prospective evaluation of digital single–operator cholangioscope for diagnostic and therapeutic procedures (with videos). Dig Endosc. 2017;29(7):782–9.

26. Ogura T, Onda S, Sano T, Takagi W, Okuda A, Miyano A, et al. Evaluation of the safety of endoscopic radiofrequency ablation for malignant biliary stricture using a digital peroral cholangioscope (with videos). Dig Endosc. 2017;29(6):712–7.

27. Osanai M, Itoi T, Igarashi Y, Tanaka K, Kida M, Maguchi H, et al. Peroral video cholangioscopy to evaluate indeterminate bile duct lesions and preoperative mucosal cancerous extension: a prospective multicenter study. Endoscopy. 2013;45(8):635–42.

28. Rastislav Hustak JK, Filip Neumann, Vladimír Nosek, Eva Skanderová, Ján Usák, Ondrej Urban, Bohus Bunganic, Miroslav Zavoral,Olga Shonova, Petr Vitek, Julius Spicak, Jan Martinek. Digital, Single–Operator Cholangiopancreatoscopy in the Diagnosis and Management of Pancreatobiliary Disorders: Results From the Multicenter Czech and Slovak National Database. Gastrointest Endosc. 2017;85(5):AB641.

29. Sejpal DV, Vamadevan AS, Trindade AJ. Removal of an embedded, migrated plastic biliary stent with the use of cholangioscopy. Gastrointest Endosc. 2015;81(6):1482–3.

30. Shah RJ, Raijman I, Brauer B, Gumustop B, Pleskow DK. Performance of a fully disposable, digital, single–operator cholangiopancreatoscope. Endoscopy. 2017;49(7):651–8.

31. Shin JU, Lee JK, Kim KM, Lee KH, Lee KT. Endoscopic naso–gallbladder drainage by using cholangioscopy for acute cholecystitis combined with cholangitis or choledocholithiasis (with video). Gastrointest Endosc. 2012;76(5):1052–5.

32. Siddiqui AA, Mehendiratta V, Jackson W, Loren DE, Kowalski TE, Eloubeidi MA. Identification of cholangiocarcinoma by using the Spyglass Spyscope system for peroral cholangioscopy and biopsy collection. Clin Gastroenterol Hepatol. 2012;10(5):466–71; quiz e48.

33. Trikudanathan G, Navaneethan U, Parsi MA. Endoscopic management of difficult common bile duct stones. World J Gastroenterol. 2013;19(2):165–73.

34. Woo YS, Lee JK, Noh DH, Park JK, Lee KH, Lee KT. SpyGlass cholangioscopy–assisted guidewire placement for post LDLT biliary strictures: a case series. Surg Endosc. 2016;30(9):3897–903.

Biliary tract

– 담도

SpyGlass를 통해 담관의 내부 구조와 상피의 모양변화를 관찰할 때에는 생리식염수를 이용하여 충분히 세척하면서 관찰하면 시야의 선명도를 향상시킬 수 있다.

담도계 종양

담도계에서 발생하는 종양은 악성종양이 많으며 발생하는 위치에 따라서 간내담도(intrahepatic), 간문부담도(perihilar), 원위부 간외담도(distal extrahepatic)의 종양으로 분류된다. SpyGlass를 통하여는 주로 간문부와 원위부 간외담도종양을 진단하게 되는데 담도선암은 담도경 소견에서 크게 3가지 형태로 구분된다. 첫째는 결절형(nodular type)이고, 둘째는 침윤형(infiltrative type)이며, 셋째는 유두상(papillary type) 종양이다.

1) 결절형(Fig. 1-4)
결절형 담도선암은 담도경에서 담도 내강 내에 결절형으로 종괴가 자라난 형태이다. 보통 담도 내강이 종양에 의해서 한쪽으로 밀려서 존재하며 종양 표면이 불규칙하고 사행성의 신생혈관이 보이기도 한다. 종괴의 표면에 보이는 신생 혈관은 일명 종양 혈관(tumor vessel)이라고 불리운다.

2) 유두형(Fig. 5-7)
유두형 담도암에서는 담도 점막이 내강쪽으로 유두 모양으로 돌출된 병변이 많이 관찰되며, 이러한 종양에 의해서 담즙 흐름에 장애가 생기면 유두상 증식의 사이사이로 여러 찌꺼기 등이 덮게 되어 담도염이 동반될 수 있다. 담도경으로 관찰할 때 생리식염수 세척을 통해 이물질들을 제거하고 관찰을 해야 한다. 유두상 선암은 주로 담도벽을 따라서 상하 방향으로 표재성으로 증식을 보이는 것이 특징이다. 미세한 유두상 또는 융모상 변화는 담도 조영술에서는 잘 나타나지 않지만 담도경에서는 잘 확인할 수 있기 때문에 병변의 범위 결정이나 수술 방법의 결정에 담도경 검사가 중요한 역할을 할 수 있다.

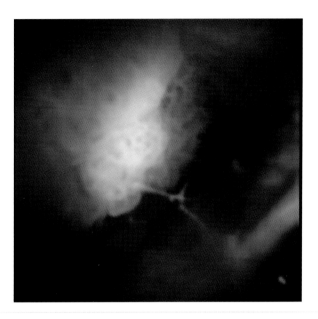

Fig. 1 High-grade biliary intraepithelial neoplasia in the common bile duct.
Nodular mucosa with granular change is noted.

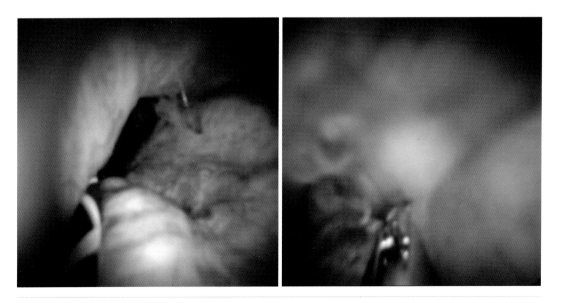

Fig. 2 Cholangiocarcinoma (nodular type). Nodular lesion with irregular and erythematous surface is noted.
Nodular mass protrudes from one side of the bile duct wall. Note the location of SpyBite biopsy forceps within the duct.

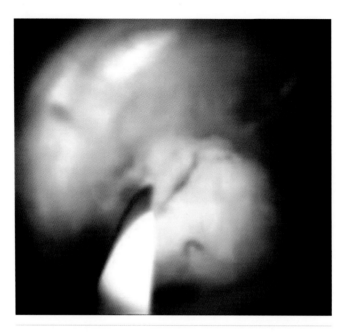

Fig. 3 Cholangiocarcinoma (nodular type).
Nodular lesion with whitish mucosa and tumor vessel is noted.

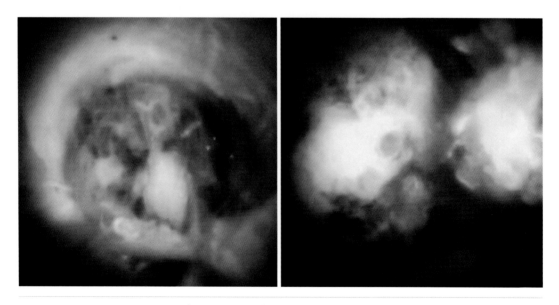

Fig. 4 Intrahepatic bile duct polyp (adenoma)

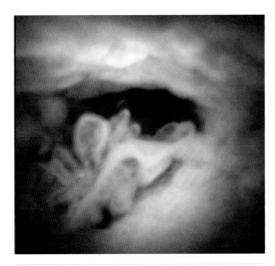

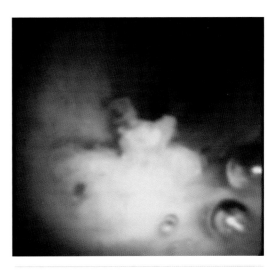

Fig. 5 Intraductal papillary neoplasm of the bile duct (low–grade dysplasia). Papillary type bile duct tumor is characterized by multiple papillary mucosal projections.

Fig. 6 Extrahepatic bile duct polyp (Intraductal papillary neoplasm with intermediate–grade dysplasia). Papillary growing polypoid lesion is noted.

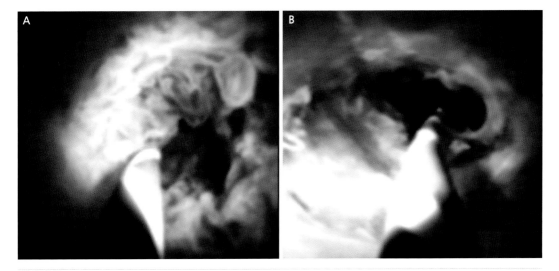

Fig. 7 Papillary type cholangiocarcinoma (before and after radiofrequency ablation).
A. Luminal narrowing with papillary tumor and tortuous dilated vessels is noted. B. After RFA, luminal patency is improved and fibrotic change of mucosa is noted.

3) 침윤형(Fig. 8, 9)

침윤형 담도암은 담도경 검사 시 매우 주의해야 할 병변으로 담도 내벽의 변화를 자세히 관찰하여야 한다. 침윤형 담도암은 담도경에서 담도내강이 원추형으로 좁아지는 양상(tapered narrowing)으로 보이며 표면이 비교적 매끈하고 얼핏 보아서는 뚜렷한 종양도 존재하지 않는다. 하지만 자세히 근접관찰을 해보면 종양 혈관이 표면에 동반되거나 점막하층의 종양 침투로 점막 표면이 백색조의 동심원상 융기를 보일 수 있어서 양성 협착과 구별점이 될 수 있다. 이러한 침윤형 협착은 조직검사를 여러 부위에서 시행하여 조직학적 확진을 하는 것이 필요하다.

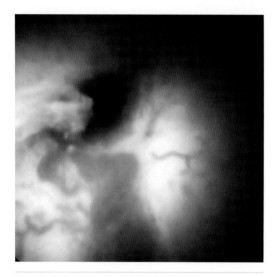

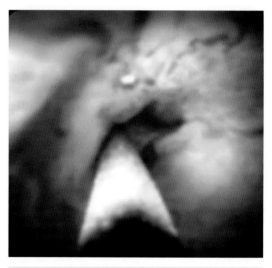

Fig. 8 Cholangiocarcinoma (infiltrative type) Luminal narrowing with increased vascularity and tumor vessel is noted. In infiltrative type, the definite mucosal mass is not clearly visible. The surface neovascularization is less conspicuous than a nodular tumor, but whitish mucosal discoloration and subtle elevation is visible on the margin of the tumor vessel.

Fig. 9 Cholangiocarcinoma (infiltrative type) Luminal narrowing with increased vascularity and small vascular lakes is noted.

4) 간세포암(Hepatocellular carcinoma)(Fig. 10)

간세포암은 간실질 내에 발생하여 담도와 연결이 되지 않는 것이 보통이지만 간혹 담도 내로 침윤해 들어온다. 담도경에서는 담도 내강을 채우는 종괴를 형성하거나 종양이 원발 장소에서 떨어져 나와서 원위부 담도 내 종양 혈전(tumor thrombi) 형태로 관찰될 수 있다. 간세포암은 특성상 혈관이 많이 분포하여 가벼운 자극에도 쉽게 출혈을 하기 때문에 검사 시에 주의를 요한다.

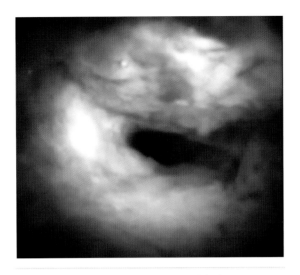

Fig. 10 Hepatocellular carcinoma with bile duct invasion

② 양성 담도 병변

1) 담도석(Fig. 11, 12, 13)

담석은 담도경으로 관찰할 경우 담관 내에서 움직이는 황갈색, 흑갈색 또는 흑색의 물체로 쉽게 확인되며 구형, 타원형 또는 다면체 형태 등 다양한 모양을 지니고 있다. 협착 부위에 감돈된 경우에는 전체 모양을 관찰하기 어려운 경우도 있다. SpyGlass는 담석질환의 치료를 위해서 이용될 수 있다. 대부분의 담석은 ERCP를 통해서 제거할 수 있지만 담석으로 감돈된(impacted) 담석의 경우 SpyGlass를 통하여 레이저쇄석술 또는 전시수압쇄석술을 시행할 수 있다. ERCP를 이용한 담석제거술 도중 바스켓이 감돈된 경우에도 SpyGlass는 구조(rescue) 시술을 위하여 이용될 수 있다.

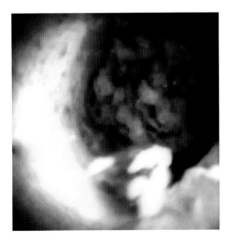

Fig. 11 Intrahepatic bile duct stone

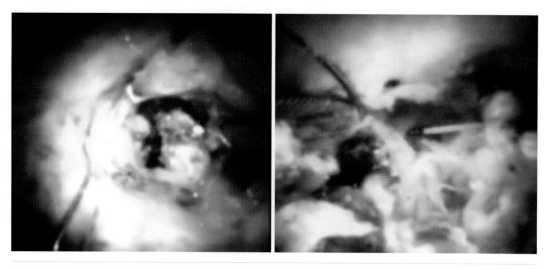

Fig. 12 Common bile duct stone captured by fractured basket

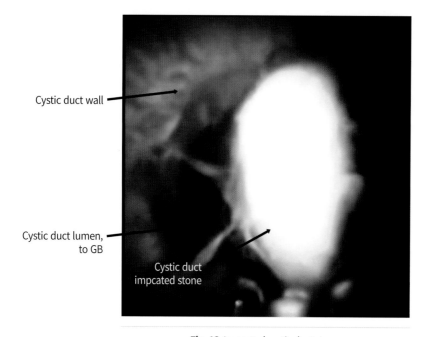

Cystic duct wall

Cystic duct lumen, to GB

Cystic duct impcated stone

Fig. 13 Impacted cystic duct stone

2) 담도 또는 담낭관의 유도를 위한 SpyGlass의 이용(Fig. 14, 15)

SpyGlass는 담도협착 등의 원인으로 가이드와이어 삽입이 어려운 담도 또는 담낭관이 입구를 육안으로 확인하여 가이드와이어 진입을 돕는 역할을 할 수 있다.

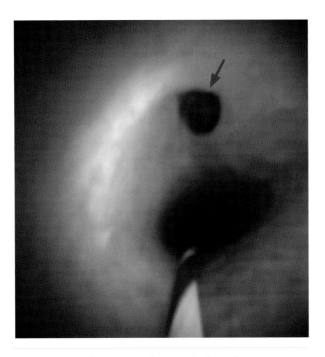

Fig. 14 Cystic duct opening (arrow)

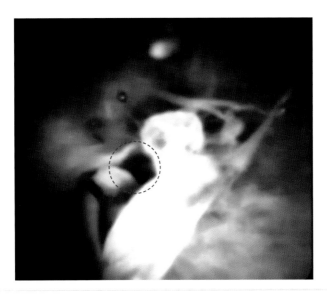

Fig. 15 Biliary stricture after living donor liver transplantation. Tight anastomotic stricture (dotted circle) is noted. Guidewire was inserted through the stricture under the guidance by Spyglass (see Video).

3) 기생충 질환(Fig. 16)

담도경 검사 중 담도내의 기생충은 매우 드물게 발견된다. 담도내에서 발견될 수 있는 기생충으로는 간흡충, 회충, Fasciola hepatica 등이 있다. 간흡충은 크기가 3-5 mm 정도로 작은데 전체적으로는 흑갈색이지만 황색조를 띠는 생식선이 성충의 중하단 부위에 존재하여 다른 담즙 찌꺼기와 구별할 수 있다. Fasciola hepatica는 크기가 20-40 mm 정도이고 담도경에서 작은 나뭇잎이 담도에 박혀 있는 모양으로 관찰된다.

4) 기타질환(Fig. 17)

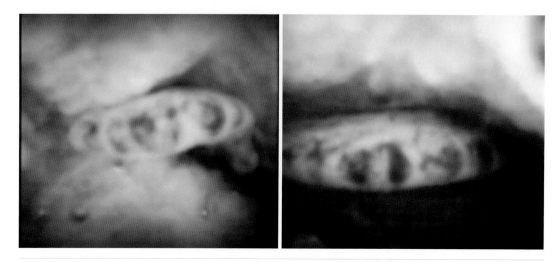

Fig. 16 Fasciola hepatica

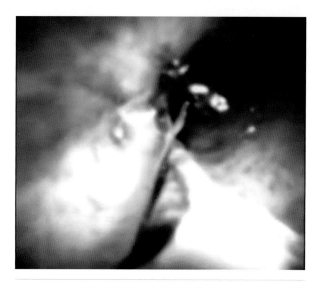

Fig. 17 Ischemic cholangiopathy

Pancreas

– 췌장

고동희

SpyGlass를 이용한 췌관 관찰은 정상적인 췌관에서는 확장이 안되어서 삽입할 수 없기 때문에 정상 췌관의 관찰은 어렵다. 그러므로, 췌관 관찰의 적응증은 진단적 목적으로는 췌관 협착 소견으로 양성과 악성을 감별하기 위한 경우와 주췌관형 IPMN (main duct type IPMN)이 의심되는 경우 정확한 진단과 수술 전에 침범 범위를 확인하기 위해 사용될 수 있다. 치료적 목적으로는 췌관경하에서 췌관 결석을 전기수압쇄석술 (electrohydraulic lithotripsy) 혹은 레이저 쇄석술(laser lithotripsy)을 시행하는 경우에 사용된다.

Pancreatoscopy in IPMN

악성 가능성이 높은 주췌관형 IPMN에서 SpyGlass를 이용한 췌관의 관찰이 주로 이루어진다. 악성 여부 감별과 수술 시 범위를 정하는 데 췌관경은 큰 도움이 된다. 췌관경에서 관찰되는 IPMN 병변에 대한 분류는 Hara 등이 분류한 것을 많이 사용한다(Hara T. et al. Gastroenterology 2002;122:34–43) (Type 1: Granular mucosa; Type 2: Fish–egg–like protrusions without vascular images; Type 3: Fish–egg–like protrusions with vascular images; Type 4: Villous protrusions; and Type 5: Vegetative protrusions.). 전형적인 소견으로는 Fish–egg 같은 모양의 점막을 보인다.

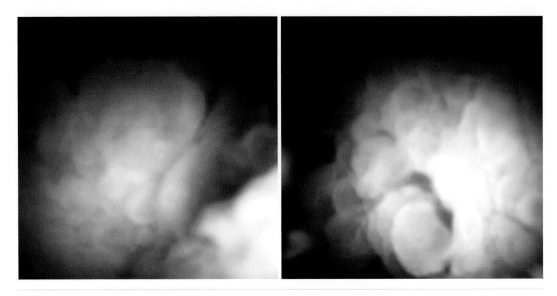

Fig. 1 Pancreatoscopy with SpyGlass DS show Fish–egg–like appearance mucosa.

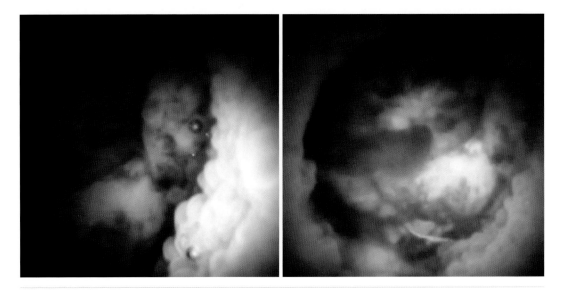

Fig. 2 Pancreatoscopy with SpyGlass DS show obstructive mass with IPMN in main pancreatic duct.

Pancreatoscopy assisted–tissue biopsy

췌관의 병변에 대한 정확한 진단을 위해 췌관경으로 직접 보면서 조직 검사를 시행하는 것은 매우 중요하다. 하지만, 실제로는 췌관 안에서 조직검사 겸자를 조절하는 것은 기술적으로 어려움이 많다.

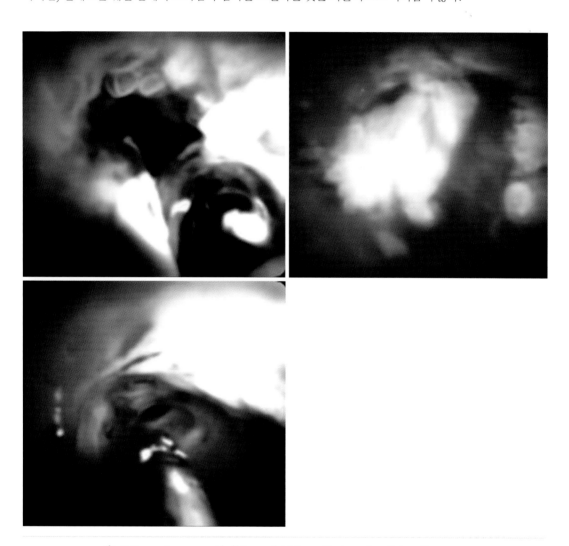

Fig. 3 Pancreatoscopy–guided biopsy of stricture with circumferential papillary mass.

▶ Video 2–3–1

Pancreatoscopy with lithotripsy

기존에 ERCP나 ESWL로 치료가 어려운 췌관 결석이 동반된 만성 췌장염 환자에서 췌관경을 이용하여 전기수압쇄석술 혹은 레이저 쇄석술을 시행하는 것은 췌관벽의 손상을 줄이면서 효과적으로 결석을 제거할 수 있게 한다.

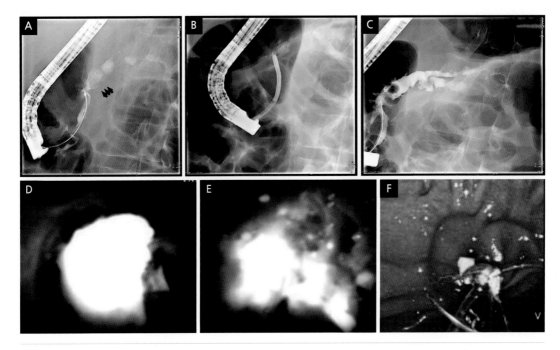

Fig. 4 Electrohydraulic lithotripsy (EHL) under direct pancreatic duct visualization using SpyGlass DS. (A) Pancreatogram shows a large stone obstructing the pancreatic duct in the upper head (arrows). (B,D,E) EHL is performed via the Spyglass DS. (C,F) Many stones were removed with balloon and basket sweeping.

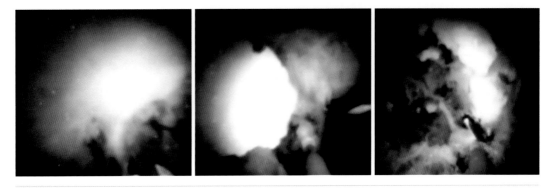

Fig. 5 Laser lithotripsy under direct pancreatic duct visualization using SpyGlass DS.

▶ Video 2-3-2

■ References

1. Committee AT, Komanduri S, Thosani N, Abu Dayyeh BK, Aslanian HR, Enestvedt BK, et al. Cholangiopancreatoscopy. Gastrointest Endosc. 2016;84(2):209–21.

2. De Luca L, Repici A, Kocollari A, Auriemma F, Bianchetti M, Mangiavillano B. Pancreatoscopy: An update. World J Gastrointest Endosc. 2019;11(1):22–30.

3. Hara T, Yamaguchi T, Ishihara T, Tsuyuguchi T, Kondo F, Kato K, et al. Diagnosis and patient management of intraductal papillary–mucinous tumor of the pancreas by using peroral pancreatoscopy and intraductal ultrasonography. Gastroenterology. 2002;122(1):34–43.

4. Itoi T, Neuhaus H, Chen YK. Diagnostic value of image–enhanced video cholangiopancreatoscopy. Gastrointest Endosc Clin N Am. 2009;19(4):557–66.

5. Ringold DA, Shah RJ. Peroral pancreatoscopy in the diagnosis and management of intraductal papillary mucinous neoplasia and indeterminate pancreatic duct pathology. Gastrointest Endosc Clin N Am. 2009;19(4):601–13.

6. Shah RJ. Innovations in Intraductal Endoscopy: Cholangioscopy and Pancreatoscopy. Gastrointest Endosc Clin N Am. 2015;25(4):779–92.

CLINICAL APPLICATIONS OF
SINGLE-OPERATOR CHOLANGIOSCOPY

01

Benign biliary diseases

1. Bile duct stone

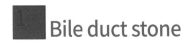

> **CBD stone**

Age / Sex

85 / F

Chief Complaints

Epigastric pain

Laboratory Findings

Total Bil 0.92 mg/dL AST/ALT 27/87 IU/L ALP 195 U/L r–GTP 155 U/L

CT findings (Fig. 1)

– Stone in distal CBD with bile duct dilatation

– Gallstones with chronic cholecystitis

ERCP findings

– Dilated CBD with filling defect (14.5×22 mm) **(Fig. 2A)**

– Mechanical lithotripsy of the large CBD stone and removal of fragmented stones **(Fig. 2B)**.

– Confirmation of bile duct clearance using a balloon occluded cholangiography **(Fig. 2C)**.

– SyGlass DS–guided stone removal using a basket **(Fig. 2D, Video 3-1-1)**.

– Endoscopic view shows a remnant CBD stone removed by SpyGlass DS with basket **(Fig. 2E, Video 3-1-2)**.

SOC description (Video 3-1-3)

– Remnant CBD stone was noted (Fig. 3A)

– SyGlass DS–guided stone removal using a basket catheter was done under direct visualization (Fig. 3B).

CT, ERCP, SOC

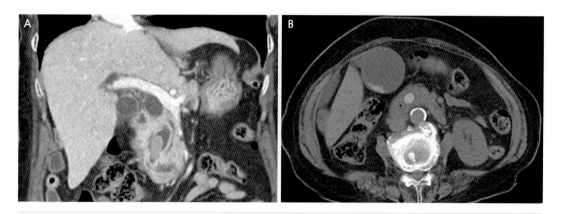

Figure 1

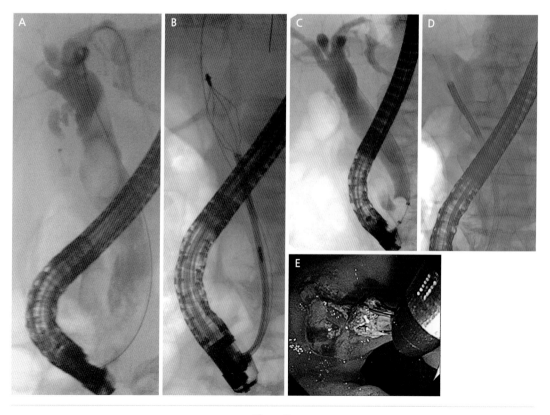

Figure 2

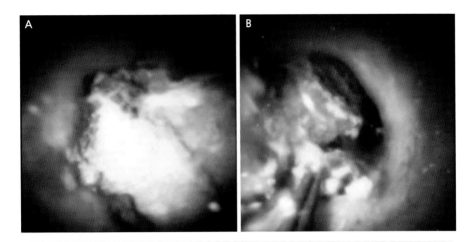

Figure 3

 ⊳ Video 3-1-1   ⊳ Video 3-1-2   ⊳ Video 3-1-3

Laser lithotripsy for CBD stone captured by fractured basket

Age / Sex

76 / M

Chief complaints

Epigastric pain, fever and jaundice

Laboratory Findings

- CBC 13,580 – 13.5 – 140K
- Bilirubin 5.7 AST/ALT/ALP 709/722/262
- CRP 12.0

CT finding

1 cm sized stone in mid CBD (**Fig. 1**)

ERCP (Fig. 2)

– 1.2 cm sized stone was captured by Trapezoid basket but impacted in the narrow distal CBD.

– Mechanical lithotripsy was applied but the basket shaft was fractured.

SOC examination (Fig. 3)

– Spyglass cholangioscope was inserted and Laser lithotripsy was applied to take care of entrapped stone in a fractured basket.

– Basket along with fragmented stones were extracted.

Conclusion

SOC is useful in managing entrapped stone in a fractured basket that became impacted in the bile duct.

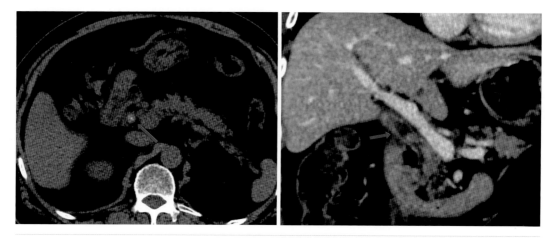

Figure 1

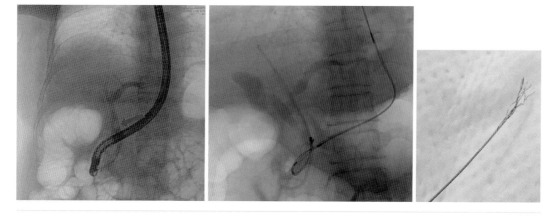

Figure 2

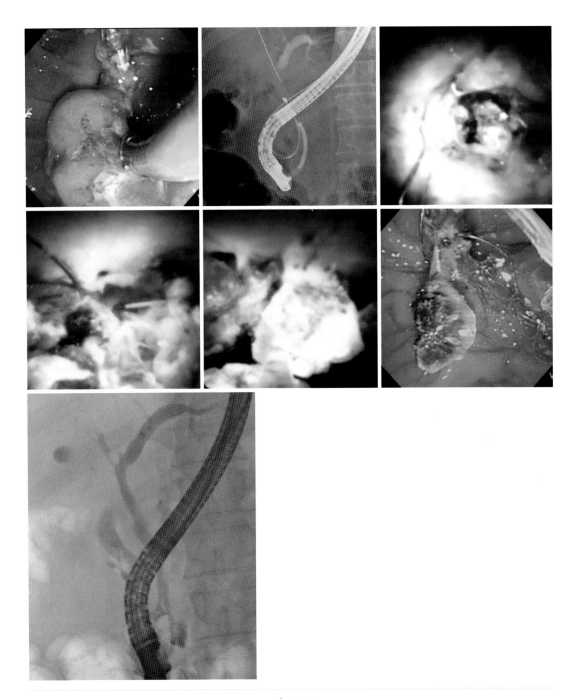

Figure 3

▶ Video 3-1-4

Biliary cast

Biliary cast

Age / Sex

75 / F

Chief Complaints

Jaundice for 1 week, Bed–ridden state due to MCA infarction

Laboratory Findings

T.bil 12.0 mg/dL, AST/ALT 76/18 U/L, ALP 707 U/L, CA 19–9 126.5 U/mL

CT findings

No change of wall thickening of hilar hepatic duct. cholangitis vs. cholangiocarcinoma (**Fig. 1**).

ERCP findings

Linear filling defect was seen in the CBD. Black tubular structure like material was removed by retrieval balloon (**Fig. 2**).

SOC description

Black linear structure and materials were seen in the CBD.

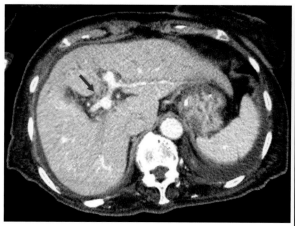
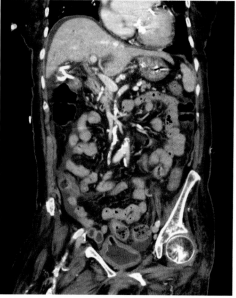

Figure 1

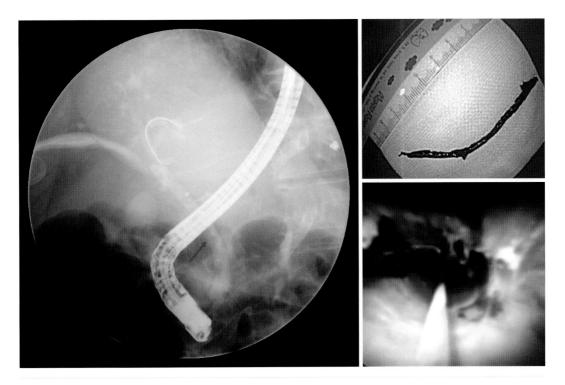

Figure 2

▶ Video 3-1-5

Cystic duct stone or guidance

Mirizzi syndrome due to cystic duct stone in the remnant cystic duct following cholecystectomy

Age / Sex

63 / F

Brief present illness

A 63–year–old woman presented to our emergency department with a 7–day history of jaundice. She had undergone cholecystectomy 13 years ago for acute calculous cholecystitis.

CT findings

Diffuse CBD wall thickening and enhancement, CBD/IHD dilation, suspicious CBD stone (**Fig. 1**)

MR findings

A 1.7 cm sized impacted stone in remnant cystic duct (red arrow), no abnorml enhancing mass (**Fig. 2A, B**)

ERCP and SOC

Near total obstruction of common hepatic duct on ERC (red arrow) (**Fig. 2C**). CDH compression by impacted cystic duct stone in the remnant cystic duct was confirmed under direct visualization using Spyglass DS (**Fig. 2D, E**). The stone was fragmented by lithotripsy using EHL and balloon catheter compression and successfully removed (**Fig. 3**).

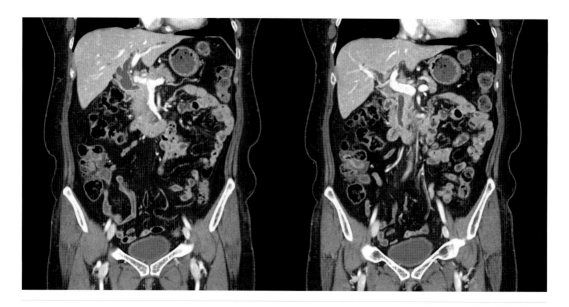

Figure 1

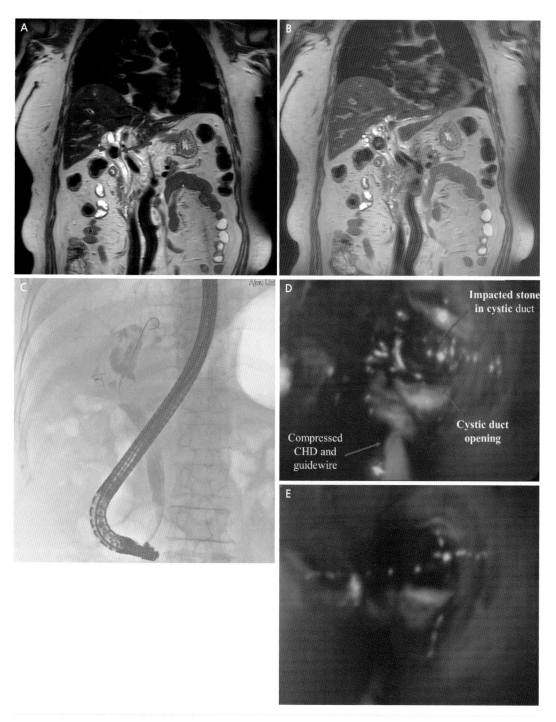

Figure 2

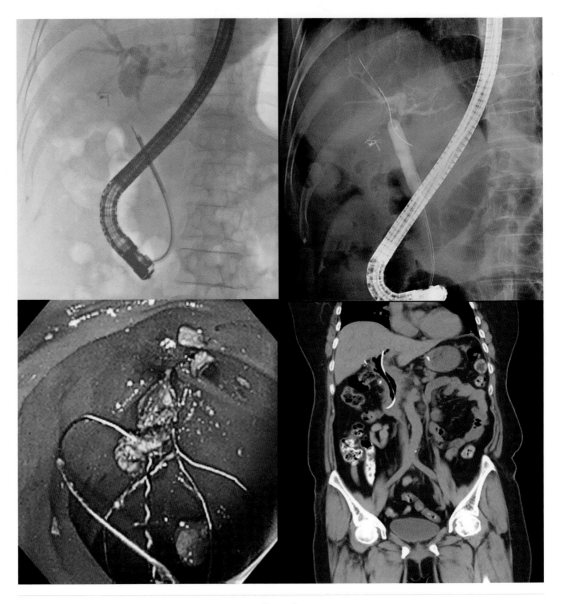

Figure 3

Endoscopic trans–papillary gallbladder drainage (ETGBD) under visualization using SpyGlass for negotiation of cystic duct

Age / Sex

78 / F

Brief present illness

- Acute cholecystitis, diagnosed at the other hospital
- Underlying congestive heart failure with ischemic heart disease
- Laparoscopic cholecystectomy refusal d/t comorbidity

CT findings

- A small stone in the GB neck (yellow arrow, **Fig. 1A**)
- Acute cholecystitis with peri–cholecystic fat infiltration (yellow arrow, **Fig. 1B**)

ERCP & SOC findings

SpyGlass [The SpyGlass™ DS Direct Visualization System (Boston Scientific Corp, Natick, MA, United States)] –directed cannulation of the cystic duct can allow us to find the lumen of the cystic duct easily and to pass a guidewire into the GB, with successful stent placement into the GB. After successful delivery of guidewire to GB through cystic duct, the catheter is withdrawn, and the guidewire remains in the GB. Finally, double pigtail configuration plastic stent can be inserted into the GB.

Conclusion

ETGBD under visualization using SpyGlass for negotiation of cystic duct

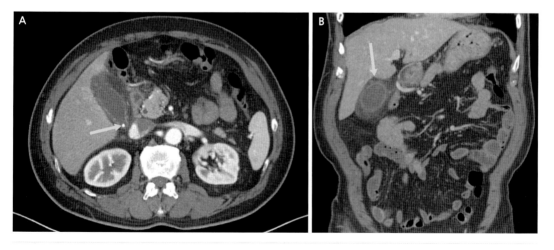

Figure 1

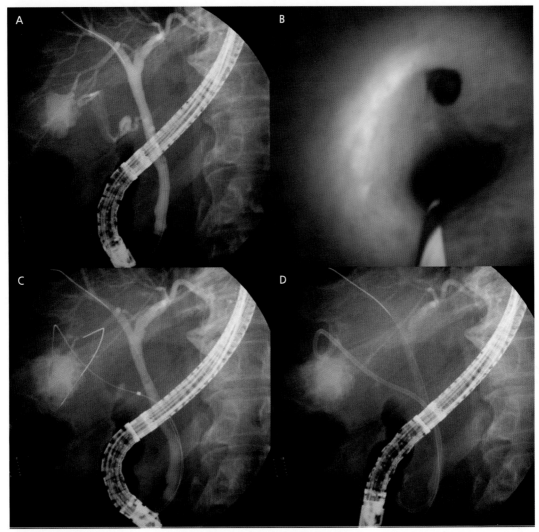

Figure 2. ETGBD under visualization using SpyGlass for negotiation of cystic duct.
(A) Cholangiography showing tortuous cystic duct with its spiral valves of Heister. (B) SpyGlass™ DS Direct Visualization System (Boston Scientific Corp, Natick, MA, United States) can facilitate advancing the guidewire into the cystic duct orifice. (C) An angled tip guidewire inserted into the GB. (D) Fluoroscopic images showing the double pigtail plastic stent between the duodenum and GB via trans–papillary approach.

SpyGlass DS–directed EHL for management of Mirizzi syndrome

Age / Sex

53 / M

Chief Complaints

Abdominal pain, fever, and jaundice

MRCP findings

- About 2.3 cm sized stones (red arrow) along conjoint segment between cystic duct & common hepatic duct (Fig. 1A–C).
- About 1 cm, and 0.5 cm sized stones at distal common bile duct.
- Irregular wall thickening of gallbladder with diffuse mild subserosal edema

ERCP & SOC findings

- Large stones (red arrow) were observed at the junction of the cystic duct and common hepatic duct (Fig. 2A).
- First, stone fragmentation with mechanical lithotripsy was attempted, but failed (Fig. 2B).
- SpyGlass DS scope inserted into the confluence of cystic duct and common hepatic duct.
- SpyGlass DS–guided EHL was conducted and fragmented stones were observed during cholangiography (Fig. 2C–F).
- The stones were completed removed by a basket and balloon catheter (Fig. 2G, H).
- Subsequent cholecystectomy was performed.

Conclusion

SpyGlass DS guided–EHL is a useful minimally invasive approach for the management of Mirizzi syndrome.

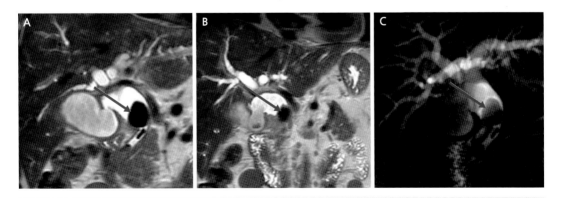

Figure 1

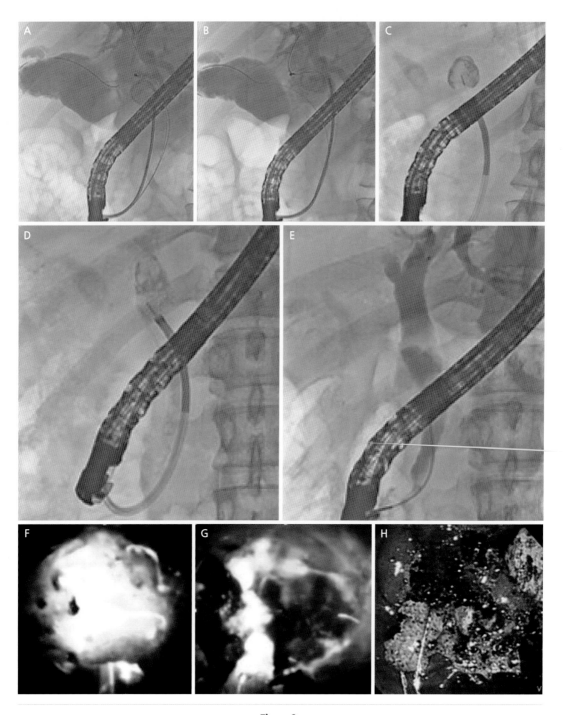

Figure 2

Benign biliary stricture

> ## **Living Related Liver Transplantation (LRLT) biliary stricture**

Age / Sex

56 / M

Chief complaints

Jaundice since 1 month ago

Past medical history

6 month ago, LRLT due to advanced LC with HCC

Laboratory Findings

Bilirubin 5.1 AST/ALT/ALP 302/384/490

CT findings **(Fig. 1)**

IHD dilatation and suspicious stricture at the bile duct anastomotic site (arrow)

Hepatobiliary scintigraphy **(Fig. 2)**

Delayed excretion in the transplanted liver without leakage

ERCP and SOC **(Fig. 3, 4)**

– Bile duct stricture at the anastomotic site of LRLT
– Failed cannulation of anastomotic site due to blunted end of recipient bile duct and angulated donor bile duct

SOC

– Spyglass–assisted cannulation under direct visualization
– Two 7 Fr plastic stents placement to right anterior and posterior intrahepatic bile ducts.

Conclusion

Spyglass–assisted cannulation of LRLT bile duct stricture is useful in the failed cannulation with conventional ERCP

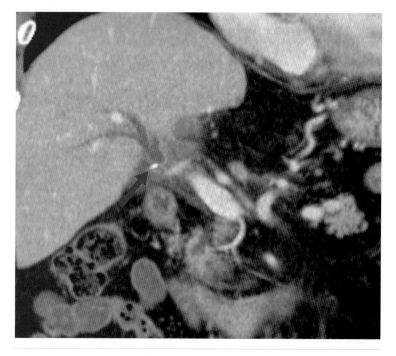

Figure 1

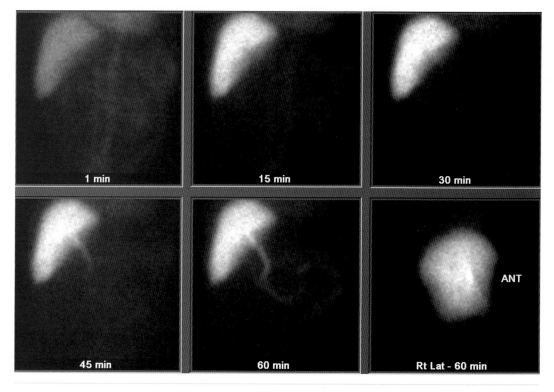

Figure 2

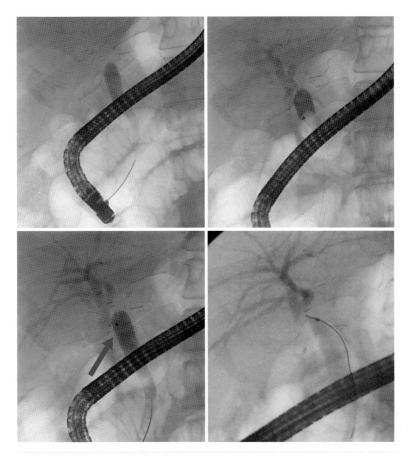

Figure 3

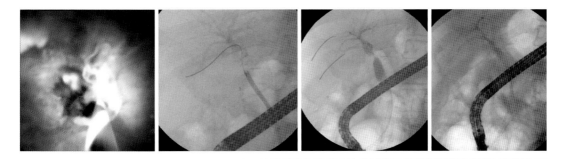

Figure 4

▶ Video 3-1-6

 Parasite

Fasciola hepatica infestation in the bile duct

Age / Sex

63 / F

Chief complaints:

– Since 2 months ago, recurrent epigastric pain

– Pruritus, weight loss 2 kg

Laboratory Findings

– CBC 6,450 (eosinophil 30%) – 12.3 – 243K

– Bilirubin 0.2 AST/ALT/ALP 22/21/118

– CA 19–9 4.84

– IgE 1,034/IgG4 133.4

CT findings (Fig. 1)

Hilar and CBD wall thickening (arrows)

MRI findings (Fig. 2)

– Hilar bile duct wall thickening without luminal narrowing

– Irregular shaped cystic lesions in the liver (arrow)

ERCP & SOC findings (Fig. 3)

– Filling defect in hilar and left main IHD

– A 2 cm sized movable flat parasite was noticed in the left IHD. It was extracted by using retrieval balloon.

Stool parasite examination

Fasciola species ova (+)

Progress

Trialbendazole 10 mg/kg, 2 times

Conclusion

SOC confirmed fasciola hepatica infestation in the bile duct

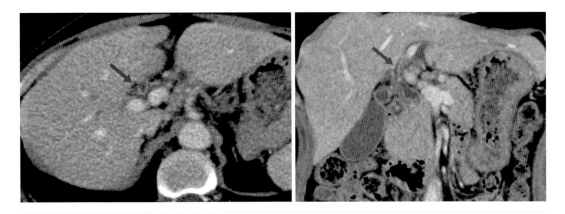

Figure 1

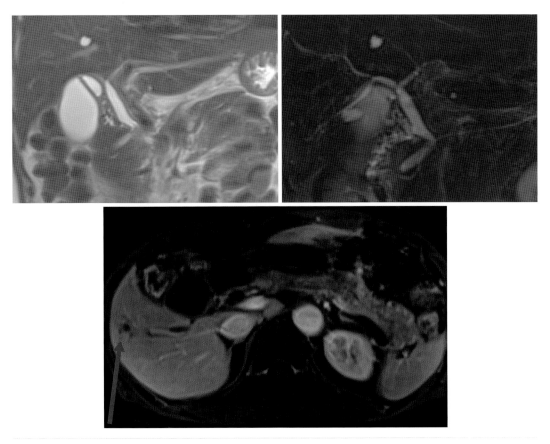

Figure 2

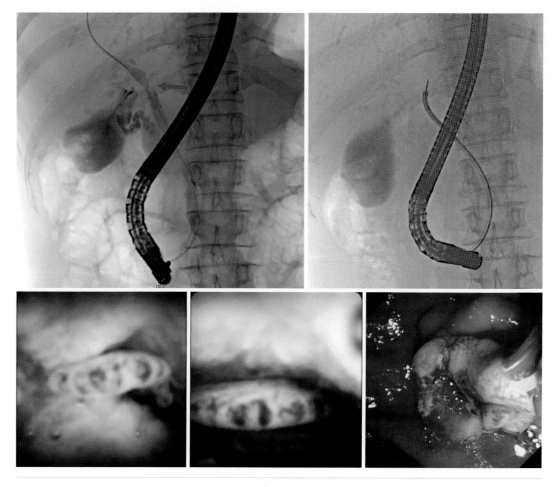

Figure 3

▶ Video 3-1-7

Others

Ischemic cholangiopathy

Age / Sex

58 / F

Brief present illness

– This patient underwent laparoscopic cholecystectomy for GB stone.
– During surgery, Rt. Hepatic artery injury occurred and primary repair was performed immediately. After surgery, cystic duct leakage was suspected, and ERBD was performed on the 4th day of surgery.
– One month after ERBD procedure, ERCP was performed again to remove the biliary stent.

ERCP findings (Fig. 1)

– Constrast leaking was observed at cystic duct on 1st cholangiography.
– Irregular filling defect was observed at mid CBD on 2nd cholangiography.
– Biopsy and brush cytology at filling defect site: Disruption of the epithelium and focal necrosis, c/w ischemic cholangiopathy

SOC findings (Fig. 2)

Severely edematous mucosa encircled CBD wall and the vascularity of mucosa was decreased.

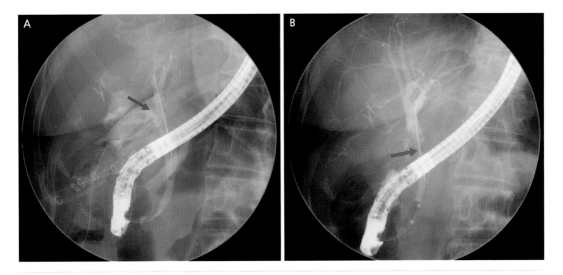

Figure 1. (A) before ERBD (B) one month after ERBD

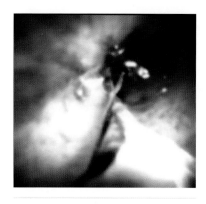

Figure 2

▶ Video 3-1-8

Anomalous pancreaticobiliary ductal union and pancreas divisum

Age / Sex

32 / F

Brief present illness

– Acute pancreatitis that was previously treated at another hospital 15 and 5 years ago.

– Non-drinker and non-smoker.

– Amylase/Lipase 11239 / 5446 U/L. Lipid profile including triglycerides: within a normal range

US/EUS/CT/MR

– CT: diffuse parenchymal enlargement of the pancreas with surrounding fat stranding and mild bile duct dilatation.

– EUS: a slightly thickened GB wall without stones/sludges. Mild dilatated bile duct with irregularities. A 10-mm stone in the far distal CBD (yellow arrow, **Fig. 1**).

ERCP and SOC

– ERCP: A stone-shaped filling defect (white arrow, **Fig. 2a**) in the CBD. The pancreatic duct (PD) **(Fig. 2a)** across the CBD simultaneously. Two thinly connected ducts **(Fig. 2a)** between the CBD and PD. A pancreatic calculi-like whitish stone was extracted by a multi-wire basket **(Fig. 2b)**.

– SOC was performed to identify the exact structure **(video 3-1-9)**. Two small holes were found in the distal CBD (white arrowheads, **Fig. 2c**), which were identified via contrast injection and a guidewire as the entrance of a channel connecting to the PD **(Fig. 2d)**.

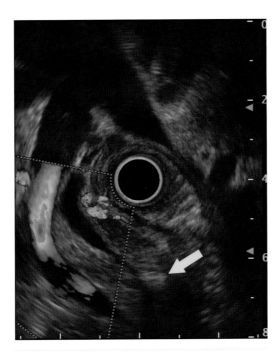

Figure 1

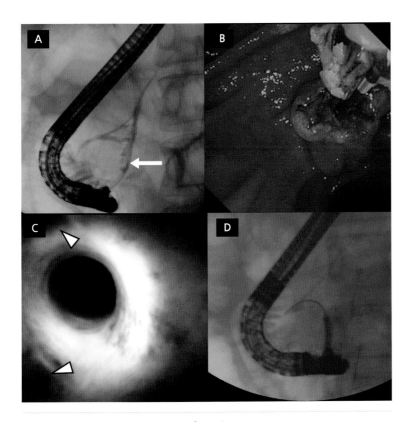

Figure 2

▶ Video 3-1-9

02

Malignant and premalignant biliary diseases

CBD nodule

> **Target biopsy for the nodular small lesion in the common bile duct**

Age / Sex

68 / F

Brief present illness

Abnormal CT findings on health checkup

CT findings

About 0.9 cm heterogenous enhancing intraluminal protruding lesion at mid CBD **(Fig. 1)**

MRI findings

Gradual enhancing intraluminal protruding lesion (1 cm) at mid CBD **(Fig. 2)**.

ERCP & SOC findings

- A nodular filling defect at the mid-CBD **(Fig. 3A)**
- The biopsy failed because the tip of the forceps could not be fixed to the wall of the biliary tract
- Target biopsy using the SpyBite™ Biopsy Forceps was performed on the protruding nodular lesion through SOC examination **(Fig. 3B, 4C)**.
- Diffuse granular changed mucosa was noted from the mid-CBD to the distal CBD **(Fig. 4A, B)**.

Pathologic findings

HIGH GRADE BILIARY INTRAEPITHELIAL NEOPLASIA (HG–BilIN) **(Fig. 5)**

Conclusion

SOC examination helped direct visualization and the target biopsy for the small lesion in the CBD.

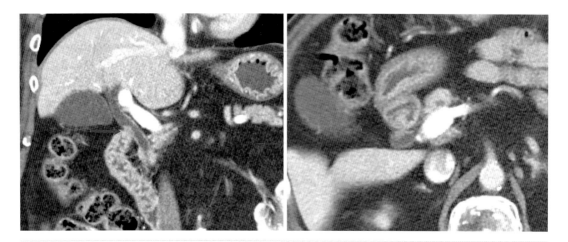

Figure 1

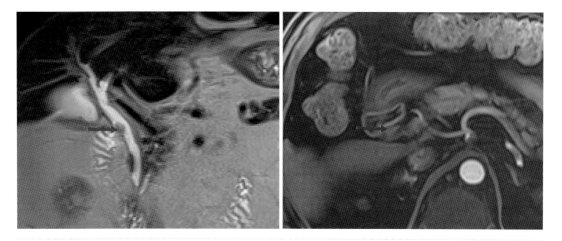

Figure 2

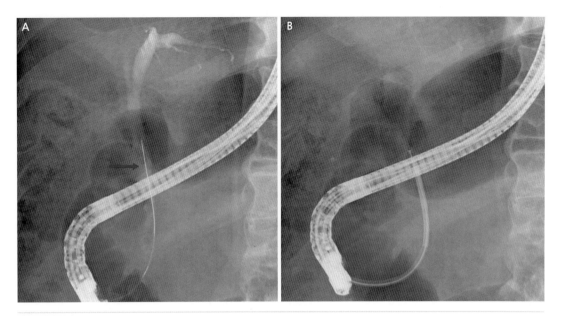

Figure 3

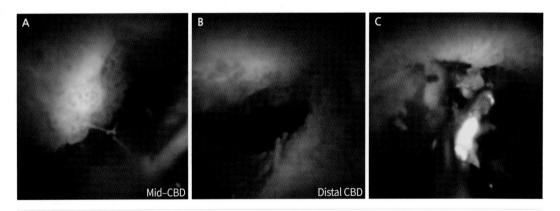

Figure 4

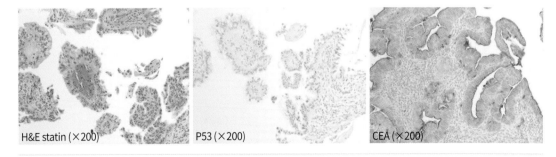

Figure 5

Extrahepatic bile duct polyp

Age / Sex

68 / F

Brief present illness

An extrahepatic bile duct polyp was incidentally detected by abdominal ultrasound in regular health check–up → referred to our hospital for further evaluation and treatment.

US/EUS/MR cholangiography finding

A polypoid lesion measuring 0.8 cm was seen in the common hepatic duct (red arrows, **Fig. 1, Fig. 2A, B**).

SOC findings

A papillary growing polypoid lesion was noted in the extrahepatic bile duct under direct visualization using Spyglass DS and multiple biopsies using Spybite™ biopsy forceps were done (**Fig. 2C–F**).

Pathology

Intraductal papillary neoplasm with intermediate grade dysplasia

Treatment

Common bile duct resection and cholecystectomy

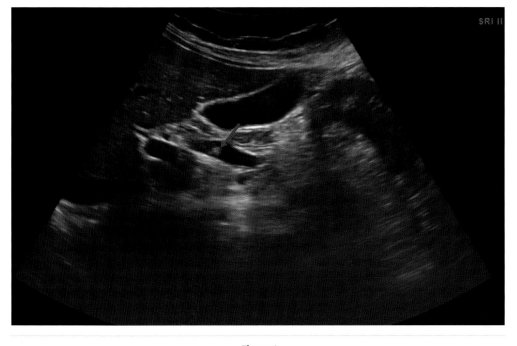

Figure 1

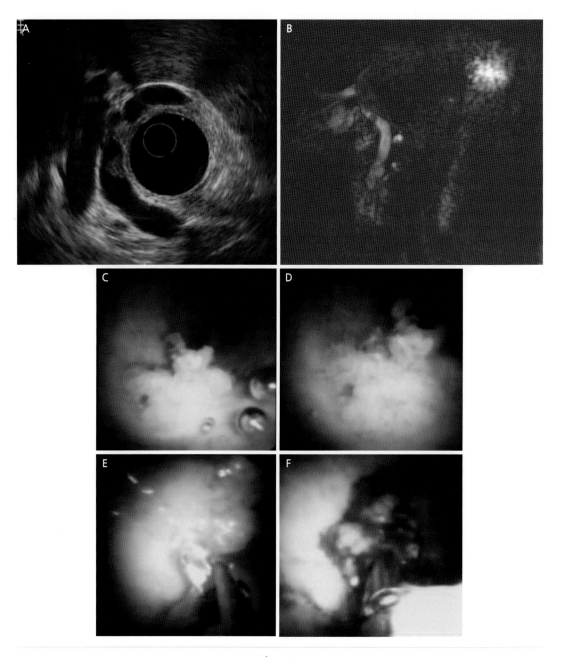

Figure 2

Bile duct evaluation using SpyGlass with Spybite for histologic confirmation

Age / Sex

77 / M

Brief present illness

Referred from other hospital d/t abnormal IHD dilatation in abdominal US

CT and MR findings

Focal narrowing with wall enhancement at the junction between intrapancreatic– and extrapancreatic CBD (yellow arrow) and upstream dilatation of biliary tract **(Fig. 1)**

→ R/O Benign stricture vs R/O Tumorous condition

ERCP & SOC findings

SpyGlass (The SpyGlass™ DS Direct Visualization System [Boston Scientific Corp, Natick, MA, United States]) showed irregular and erythematous surface with nodular narrowing (yellow arrow, **Fig. 2A**) of bile duct suspected with extrahepatic cholangiocarcinoma. Furthermore, it allowed histologic confirmation using Spybite as through–the–scope intraductal biopsy forceps (yellow arrow, **Fig. 2B**).

Pathologic findings

Suspicious of malignancy (adenocarcinoma with few atypical cells)

Conclusion

Extrahepatic cholangiocarcinoma

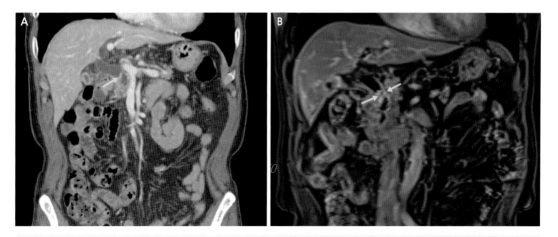

Figure 1

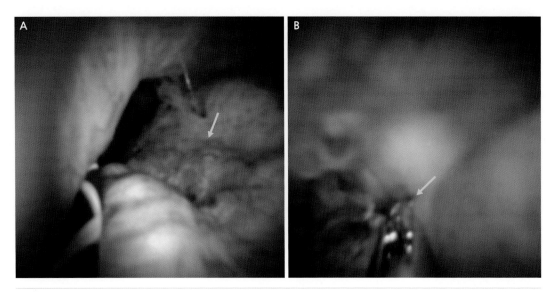

Figure 2

IPNB

Age / Sex

73 / M

Brief present illness

– Abdominal pain and abnormal LFT

– History: cholecystectomy for cholecystitis (20 years ago)

US/EUS/CT/MR

– CT: mild bile duct dilatation without any intraductal stone or mass **(Fig. 1A)**.

– MRCP: small stones in the common hepatic duct (CHD) just above the cystic duct insertion **(Fig. 1B)**

– EUS: no typical findings of a stone **(Fig. 1C)**. On contrast–enhanced EUS, the lesion – tumorous lesion owing to enhancement after contrast injection **(Fig. 1D)**.

SOC findings

– ERCP and SOC using the SpyGlass were performed for a direct visual confirmation of the lesion.

– Cholangiogram: filling defect in the bile duct **(Fig. 2A)**.

– SpyGlass: a villous tumor, approximately 1–cm–sized, in the CHD **(Fig. 2B)**.

– Pathology: intraductal papillary neoplasms of the bile duct (IPNB) with low–grade dysplasia **(Fig. 2C, D)**.

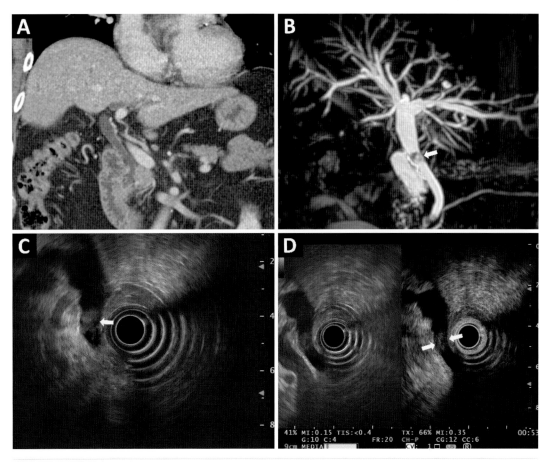

Figure 1

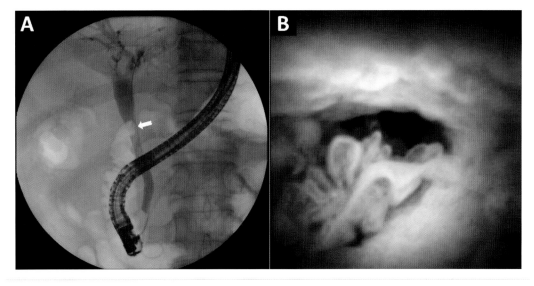

Figure 2A, B

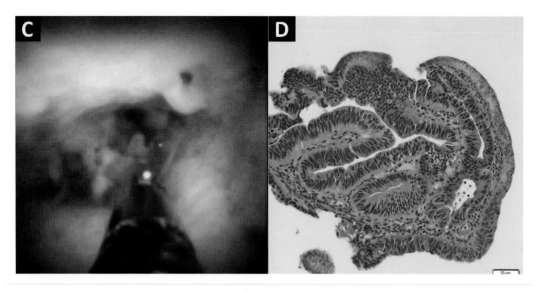

Figure 2C, D

▶ Video 3-2-1

Cholangiocarcinoma (infiltrative type)

Age / Sex

55 / M

Chief Complaints

Epigastric pain

Laboratory Findings

Total Bil 1.1 mg/dL, AST/ALT 17/14 IU/L, ALP 64 U/L, r–GTP 15 U/L, CA 19–9 37.2 U/L

CT findings (Fig. 1)

Segmental enhancing wall thickening of proximal CBD

ERCP findings

– Diffuse stricture on proximal CBD (**Fig. 2A**)

– SpyGlass DS catheter located at mid–CBD for peroral cholangioscopy (**Fig. 2B**)

SOC description (**Fig. 3, Video 3-2-2**)

Stricture with irregular tortuous dilated vessels, and friability on irregular surface

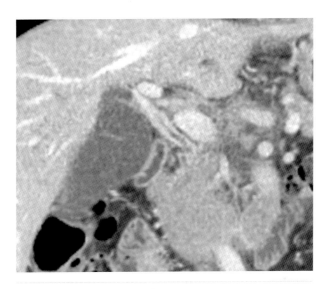

Figure 1

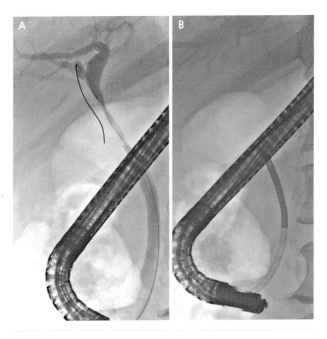

Figure 2

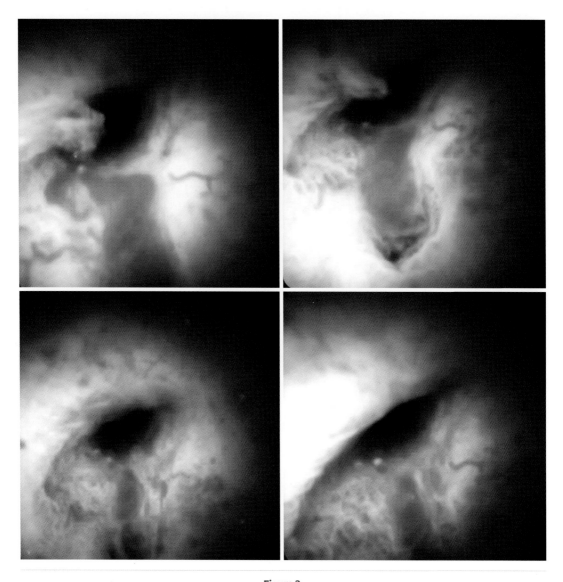

Figure 3

▶ Video 3-2-2

Klatskin tumor

> ## Klatskin tumor

Age / Sex

86 / F

Chief Complaints

Jaundice for 15 days

Laboratory Findings

T.bil 5.0 mg/dL AST/ALT 58/29 U/L ALP 323 U/L CA 19–9 4,693 U/mL

CT **(Fig. 1)** or MRI findings

Ill–defined hypoechoic lesion with both IHD dilation

ERCP findings **(Fig. 2)**

Abrupt narrowing was seen on the hilar bile duct with upstream dilation

SOC description **(Fig. 3)**

Whitish mucosa with friable capillary was seen

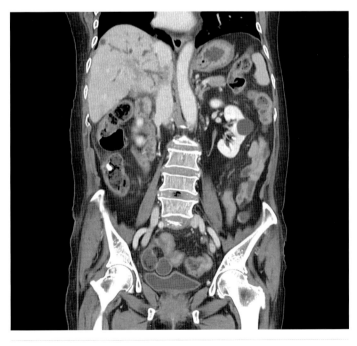

Figure 1

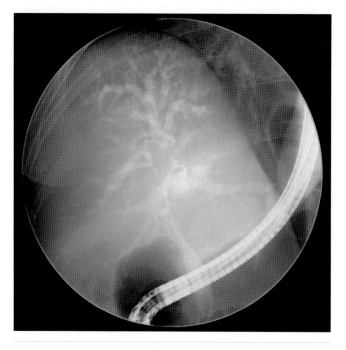

Figure 2

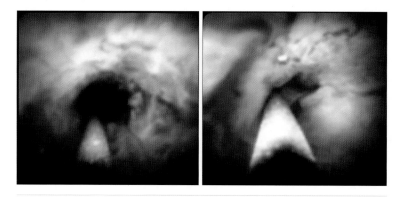

Figure 3

  ▶ Video 3-2-3

Klatskin tumor

Age / Sex

78 / F

Chief Complaints

Jaundice for 1 month

Laboratory Findings

T.bil 19.5 mg/dL AST/ALT 77/57 U/L ALP 568 U/L CA 19–9 1,887 U/mL

CT findings **(Fig. 1)**

Hypoechoic lesion in hilar bile duct with both IHD dilation

ERCP findings **(Fig. 2)**

– s/p PTBD. Abrupt narrowing with filling defect was seen from CHD to hilum.

– Bx and brush cytology: adenocarcinoma

SOC description **(Fig. 3)**

Polypoid mass was seen on the proximal CBD (CHD).

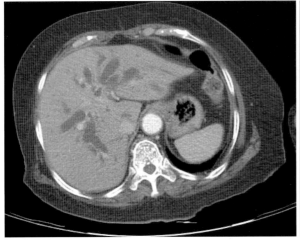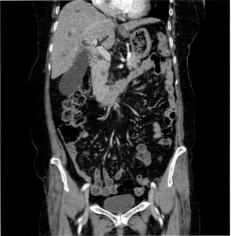

Figure 1

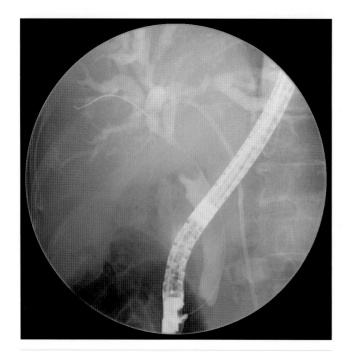

Figure 2

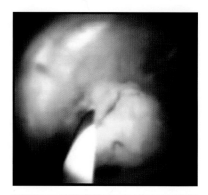

Figure 3

▶ Video 3-2-4

Mid–CBD cancer

Mid–CBD cancer

Age / Sex

65 / M

Chief Complaints

Jaundice for 1 month

Laboratory Findings

T.bil 28 mg/dL, AST/ALT 248/127 U/L, ALP 1,430 U/L, CA 19–9 213.2 U/mL

MRI findings **(Fig. 1)**

Concentric wall thickening of CBD

ERCP findings (**Fig. 2**)

– Abrupt narrowing with upstream dilation was seen on the mid–CBD

– Bx and brush cytology: adenocarcinoma

SOC description (**Fig. 3**)

Hyperemic and nodular mucosa was seen in the mid–CB1

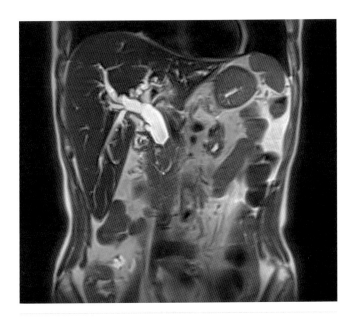

Figure 1

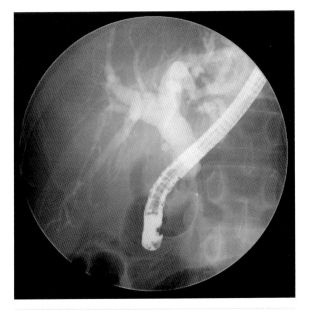

Figure 2

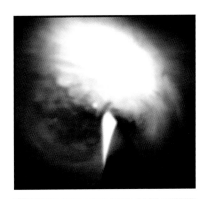

Figure 3

⊙ Video 3-2-5

Liver abscess and cholangitis due to intrahepatic bile duct polyp

Present illness

An 84–year–old male presented to the emergency department with a right upper quadrant abdominal pain that started 7 days previously. He had undergone partial gastrectomy and Billroth–II anastomosis due to gastric cancer 10 years ago.

MR findings

About 3.5 cm probable abscess or inflammatory pseudotumor (red arrow) and adjacent cholangitis in S4 of the liver were found (Fig. 1A). Several stones in the gallbladder (white arrow, Fig.1B) and about 1 cm sized stone in the distal common bile duct (CBD) (yellow arrow, Fig. 1C) were also noted.

ERCP findings

The CBD stone was removed and a 7 Fr 7 cm bipigtailed plastic stent was deployed into the CBD due to poor biliary drainage (Fig. 2).

MR findings after 2 months

Improvements of probable abscess or inflammatory pseudotumor and adjacent cholangitis in S4 of the liver were noted (Fig. 3).

Follow–up ERCP with SOC

Cholangiogram showed a round filling defect in the left intrahepatic bile duct (red arrows, Fig. 4A, B). A papillary growing polypoid lesion was noted in the left intrahepatic bile duct under direct visualization with Spyglass DS (Fig.4C, D) and biopsy was performed using SpybiteTM biopsy forceps.

Pathology of the intrahepatic bile duct polyp

Tubular adenoma with low–grade dysplasia

Clinical course

The patient refused to undergo surgical resection due to old age and previous history of abdominal surgery and is now lost to follow–up.

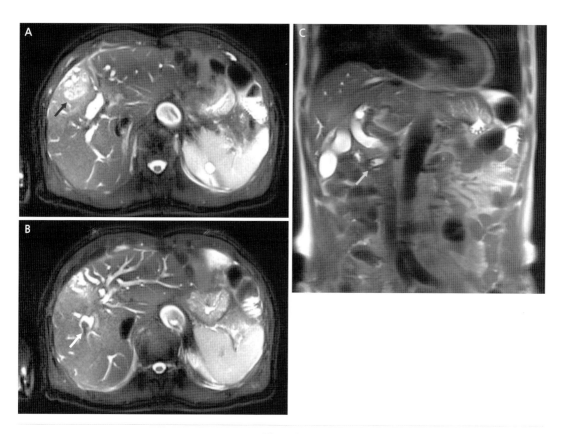

Figure 1

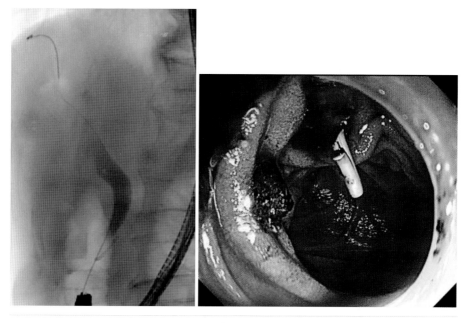

Figure 2

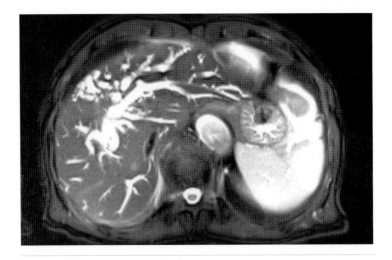

Figure 3

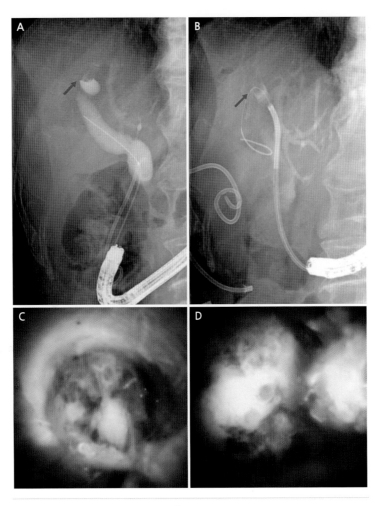

Figure 4

Mapping

> ## Pre–operative mapping for surgical resection of extrahepatic cholangiocarcinoma

Age / Sex

68 / F

Brief present illness

- Hilar cholangiocarcinoma, diagnosed at the other tertiary referral hospital
- Bismuth type IIIa with extension to the pancreatic portion
    → Our diagnosis: Diffuse infiltrative type & RHA, proper hepatic artery, PV invasion
- Biopsy: Adenocarcinoma, poorly differentiated
- s/p #5 systemic chemotherapy (Gem/Cis + abraxane) & Rt. portal vein embolization

CT findings

- Before chemotherapy: Right hepatic artery encasement (arrow) and tumor extension to the intra-pancreatic bile duct (**Fig. 1**).
- After chemotherapy: Improving state of right hepatic artery encasement (arrow) and tumor extension to the intrapancreatic bile duct (**Fig. 2**).

ERCP & SOC findings (**Fig. 3**)

Fibrotic change without tumor extension at the intrapancreatic bile duct.

Pathologic findings (**Fig. 4**)

Severe fibrotic change without tumor invasion at the intrapancreatic bile duct.

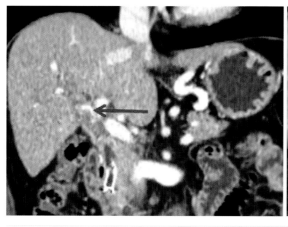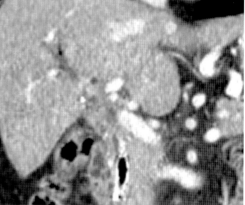

Figure 1

Conclusion

- Resection area was changed: hepatic duct, common bile duct and right hepatectomy.
- Pre–operative SOC examination helped avoiding HPD operation (right hepatectomy with PPPD).

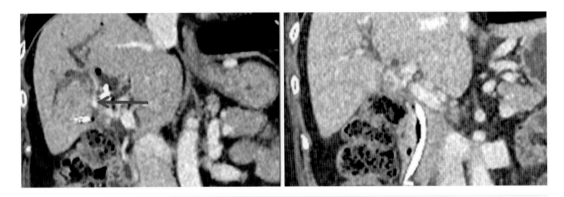

Figure 2

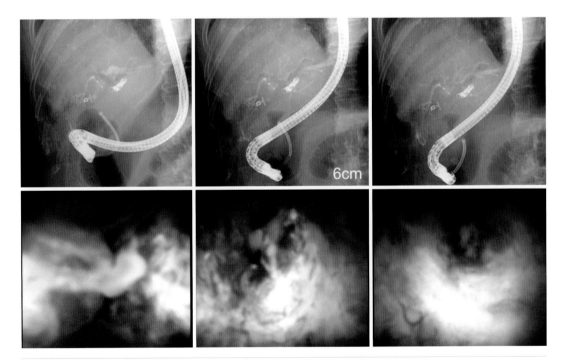

Figure 3

Distal CBD fibrosis

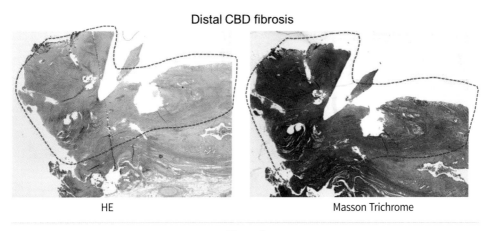

HE   Masson Trichrome

Figure 4

Pre-operative mapping for surgical resection of extrahepatic cholangiocarcinoma

Age / Sex

64 / M

Brief present illness

– Hilar cholangiocarcinoma, diagnosed at the other tertiary referral hospital

– Bismuth type I → Our diagnosis: Diffuse infiltrative type (pancreatic portion invasion) & RHA invasion, L/N metastasis

– Biopsy: Adenocarcinoma, well differentiated

– s/p #4 systemic chemotherapy (Gem/Cis + abraxane)

CT findings

– Before chemotherapy: Right hepatic artery invasion (arrow) and tumor extension to the intrapancreatic bile duct (Fig. 1).

– After chemotherapy: Improving state of right hepatic artery invasion (red arrow), but CBD wall thickening at the hilar area (yellow arrow, Fig. 2).

ERCP & SOC findings (Fig. 3)

Only benign erythematous mucosal change at the hilar area.

Pathologic findings (Fig. 4, 5)

Severe fibrotic change without tumor invasion at the hilar area.

Conclusion

– Resection area was changed: laparoscopic pylorus preserving pancreatico–duodenectomy with CBD resection.

– Pre–operative SOC examination helped avoiding HPD operation (right hepatectomy with PPPD).

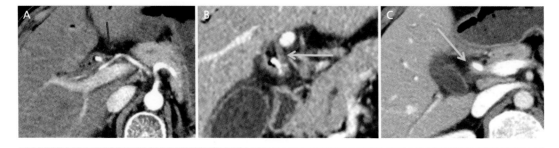

Figure 1

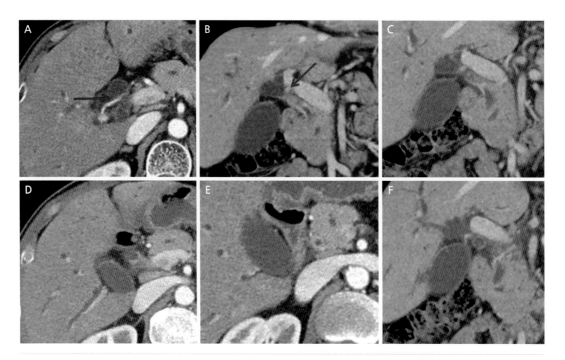

Figure 2

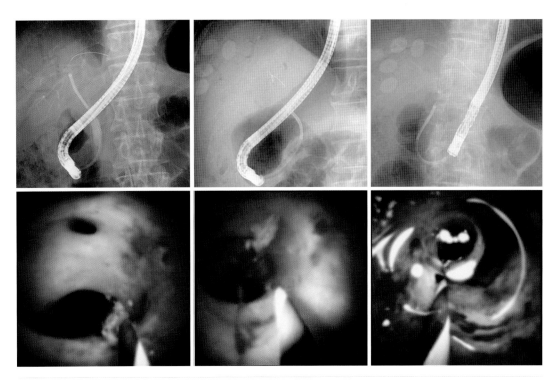

Figure 3

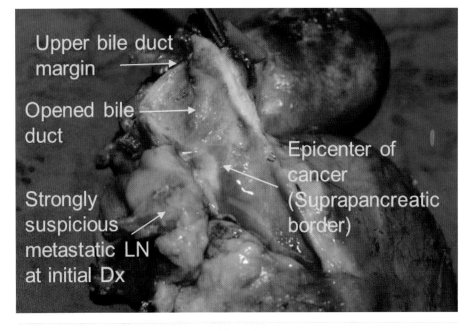

Figure 4

Proximal CBD inflammation and fibrosis

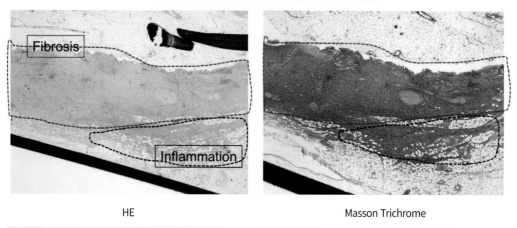

HE   Masson Trichrome

Figure 5

Pre–operative mapping for surgical resection of extrahepatic cholangiocarcinoma

Age / Sex

54 / M

Brief present illness

- Focal mass at mid–CBD
- Biopsy: Adenocarcinoma, moderately differentiated
- Surgical resection was recommended: laparoscopic pylorus preserving pancreatico–duodenectomy with CBD resection.

CT (Fig. 1) & MRI (Fig. 2) findings

Focal luminal narrowing with enhancement at mid CBD with mild IHD dilatation, suggesting mid CBD cancer with biliary obstruction

ERCP findings (Fig. 3)

Focal luminal narrowing at the mid–CBD.

SOC findings (Fig. 4)

- Tumor infiltration at the mid–CBD was extended to the intrapancreatic portion of CBD.
- Also, satellite tumor infiltration was noted at the right anterior biliary duct.

Conclusion

- Operation was canceled
- Focal mid–CBD cancer → Diffuse infiltrative hilar cholangiocarcinoma, Bismuth Type IIIa.
- Pre–operative SOC examination helped pre–operative confirmation of the surgical resection margin.

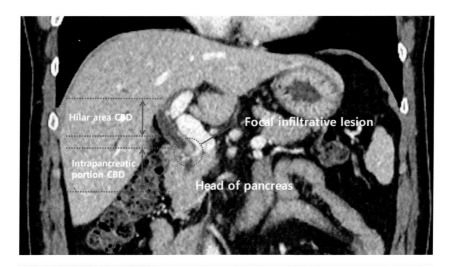

Figure 1

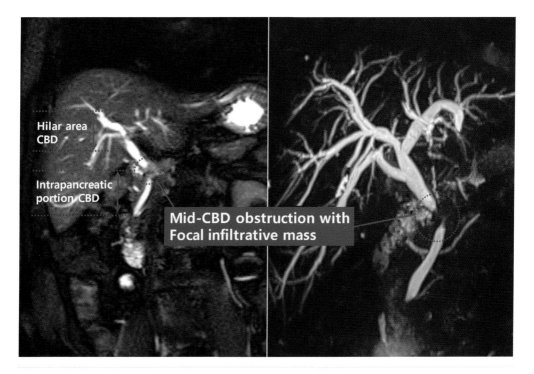

Figure 2

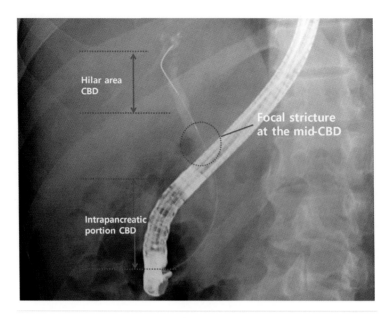

Figure 3

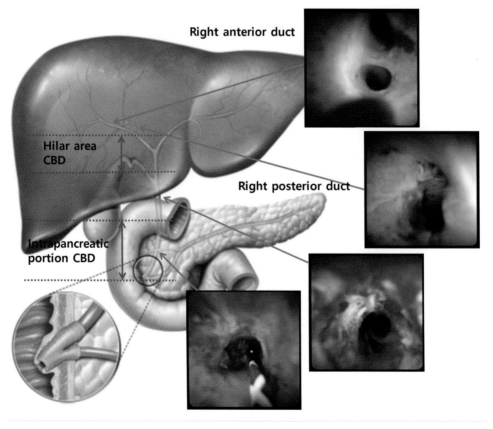

Figure 4

Stent obstruction

Stent obstruction due to tumor ingrowth

Age / Sex

64 / M

Brief present illness

- The patient came to the hospital with back pain and indigestion and was diagnosed with pancreatic metastasis of lung cancer. The mass in the pancreas uncinate process caused CBD obstruction and ERBD procedure was performed.
- Jaundice developed 4 months after the 1st biliary stenting and 2nd ERBD procedure was performed for stent obstruction due to tumor ingrowing

CT findings (Fig. 1, 2)

- Mass abutting intrapancreatic CBD with upstream bile duct dilatation was observed on initial CT scan.
- Soft tissue density was observed in the biliary stent on CT scan performed 4 months after 1st biliary stenting.

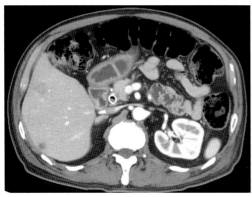

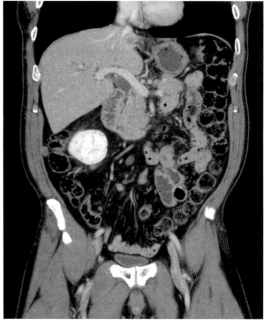

Figure 1   Figure 2

ERCP findings (Fig. 3)

– Irregular filling defect was observed in the biliary stent.

– 2nd biliary stenting was performed through ERCP using the stent–in–stent method.

SOC findings (Fig. 4)

– The tumor that had grown into the metal stent was observed

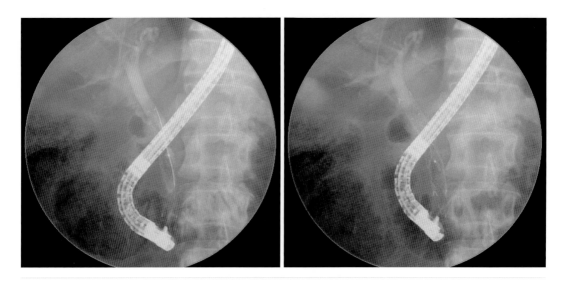

Figure 3

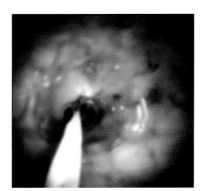

 ▶ Video 3-2-6

Figure 4

Mid–CBD cancer s/p metal stent, stent obstruction due to stone

Age / Sex

82 / M

Chief Complaints

– RUQ pain and fever for 3 days

– Mid–CBD cancer s/p metal stent – 5 months ago

Laboratory Findings

T.bil 3.1 mg/dL, AST/ALT 70/108 U/L, ALP 124 U/L, CRP 9.3 mg/dL

CT findings (Fig. 1)

Subtle hyperdense material in EHD – tumor ingrowing VS. sludge or sandy stone

ERCP findings (Fig. 2)

Floating filling defects were seen in the metal stent

SOC description (Fig. 3)

Obstruction was mainly caused by stones and pus like debris.

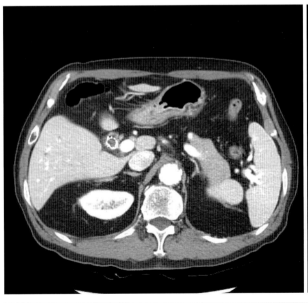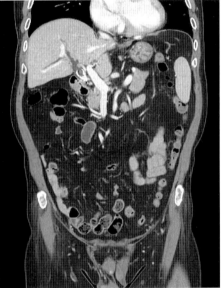

Figure 1

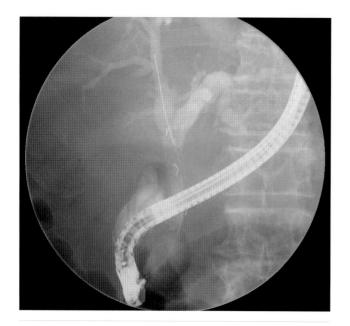

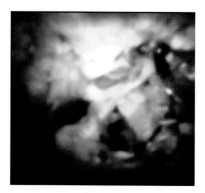

Figure 3

Figure 2

▶ Video 3-2-7

Klatskin tumor s/p Y–stent – stent obstruction

Age / Sex

78 / M

Brief present illness

– Hilar cholangiocarcinoma, diagnosed 7 months ago at our hospital

– Y–stent insertion and conservative care without significant events so far

– Hospitalized for abdominal pain, fever and jaundice

CT findings (Fig. 1)

– s/p biliary stent insertion

– No evidence of stent obstruction, no interval change of both IHD dilatation

ERCP (Fig. 2) & SOC (Fig. 3) findings

Irregular filling defects were observed in Y–stent

SOC findings

Multiple floating debris and stones were seen within the metal stent.

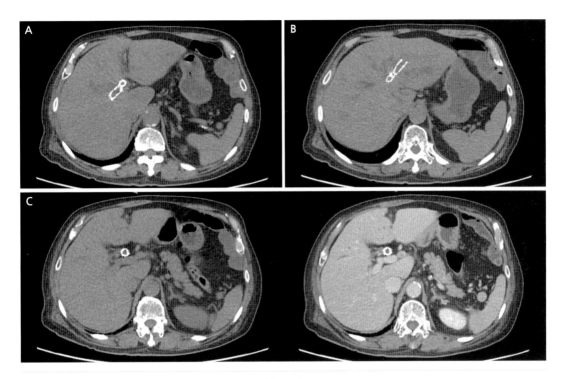

Figure 1

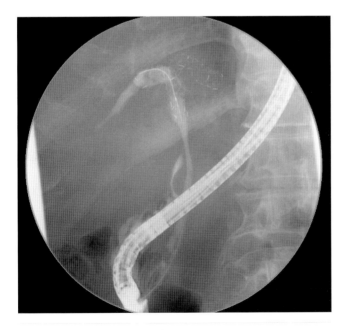

Figure 2

Figure 3

▶ Video 3-2-8

RFA

SpyGlass DS–directed RFA for management of extrahepatic cholangiocarcinoma

Age / Sex

86 / F

Chief Complaints

Jaundice

MRCP findings

Marked dilatation of CBD & both IHBD and suspicious enhancing wall thickening with severe luminal narrowing at distal CBD **(Fig. 1A, B)**.

ERCP & SOC findings

At initial ERCP with intraductal biopsy, the patient was diagnosed with extrahepatic cholangiocarcinoma. Due to high surgical risk, intraductal RFA was performed by measuring the proximal and distal margin of infiltrative cholangiocarcinoma using SpyGlass **(Fig. 2A–D)**. Afterwards, the effect of RFA on tumor was confirmed with SpyGlass DS system.

Conclusion

SpyGlass DS–directed RFA for palliative management of extrahepatic cholangiocarcinoma was performed without any complications.

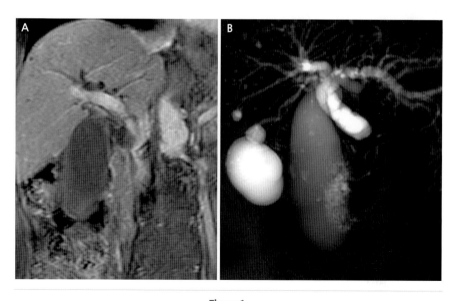

Figure 1

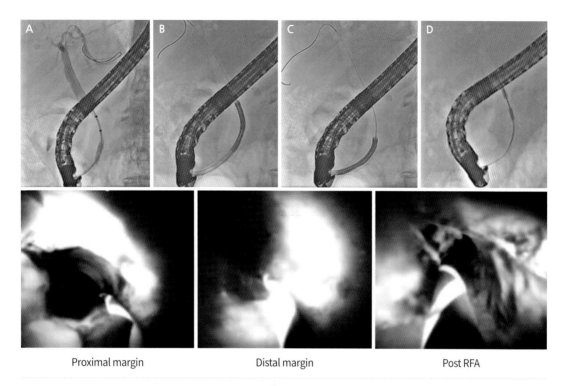

| Proximal margin | Distal margin | Post RFA |

Figure 2

Before and After RFA

Age / Sex

82 / F

Chief Complaints

R/O CBD cancer

Laboratory Findings

Total Bil 1.3 mg/dL, AST/ALT 120/160 U/L, ALP 793 U/L, r–GTP 701 U/L, CA 19–9 283 U/L

CT (Fig. 1A) and MRCP findings (Fig. 1B)

Segmental enhancing wall thickening in proximal CBD with enlarged LN in porta hepatis and a small pericystic LN

ERCP findings (Fig. 2)

Stricture on proximal CBD with dilated both IHDs

SOC description

– Before RFA: Luminal narrowing d/t finger–like villi–form mucosa with tortuous dilated vessels (Fig. 3A, B, C)

  After RFA: Improved luminal patency and fibrotic change of previous finger–like villi–form mucosa

– Remnant neoplastic mucosa on distal margin of lesion (Fig. 3D, E, F)

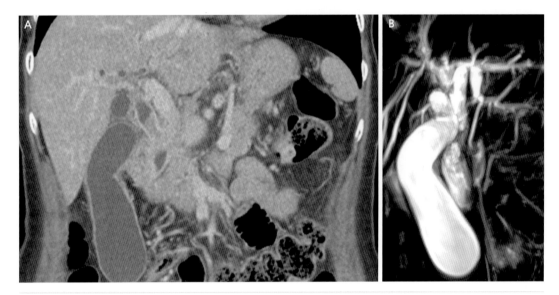

Figure 1

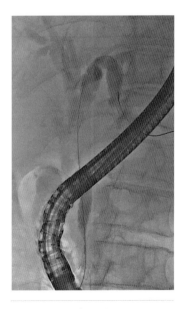

Figure 2

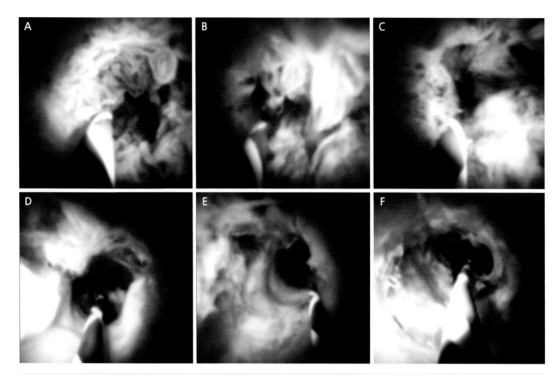

Figure 3

Hemobilia after TACE in a patient with HCC

Age / Sex

32 / F

Brief present illness

– Abdominal pain, fever, and jaundice.

– 3 months earlier he was diagnosed with alcoholic LC and unresectable HCC (4 cm, seg 8) and treated with TACE.

– T.bil 10.5 mg/dL; AST 1,098 IU/L; ALT 891 IU/L.

CT/ERCP

– CT: newly developed intraductal masses or blood clots in the CBD and IHD, with upstream IHD dilatation.

– ERCP: multiple filling defects in the bile duct (**Fig. 1A**). Multiple blood clots–extracted with a stone basket and balloon catheter **(Fig. 1B)** → Diagnosis: hemobilia

Angiography after ERCP

– 3 days after the ERCP, rebleeding (hemobilia) - dizziness, melena, and progressive decrease in Hb.

– Emergent angiography: no bleeding focus

SOC **(Fig. 2)**

– Repeated ERCP with SOC (SpyGlass) to dentify the bleeding focus.

– SpyGlass: many blood clots in the CBD. A tumorous mass in the hepatic hilum suggested direct HCC invasion of the bile duct. Active bleeding from the left IHD, at the distal part of the tumor. A damaged bile duct due to the ischemic damage after TACE. Small pulsating blood vessels with active bleeding on the surface of the bile duct.

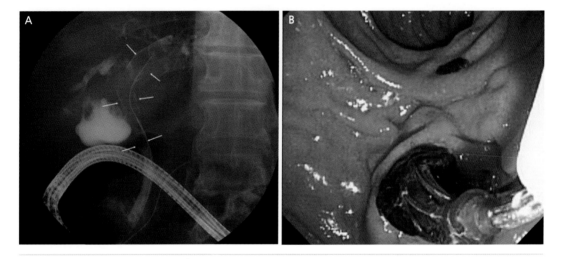

Figure 1

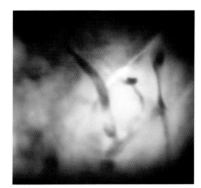

▶ Video 3-2-9

Figure 2

 Others

HCC with bile duct invasion

Age / Sex

71 / M

Brief present illness

- TACE performed several times for hepatocellular carcinoma caused by chronic hepatitis B
- Ten days after the last TACE, epigastric pain, fever and jaundice occurred
- Aggravated Lt. IHD dilation and GB distension → PTBD

CT findings **(Fig. 1)**

- Lipiodol uptakes in hepatic dome and Rt. Lobe with viable HCCs (arrow)
- Concentric wall thickening of hilar duct with progressed Lt. IHD dilatation

ERCP findings **(Fig. 2)**

Abrupt narrowing at the hilar duct and upstream dilatation of Lt. IHD

SOC findings **(Fig. 3)**

Friable edematous mucosa with surface nodularity and irregular tortuous dilated vessels

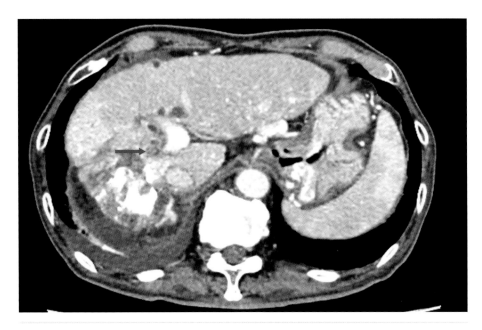

Figure 1

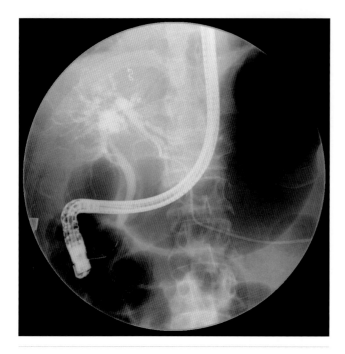

Figure 2

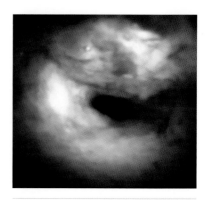

Figure 3

▶ Video 3-2-10

Indeterminate CBD stricture

Age / Sex

71 / M

Chief Complaints

Evaluation for indeterminate biliary stricture

Laboratory Findings

Total Bil 1.4 mg/dL, AST/ALT 42/81 U/L, ALP 308 U/L, r–GTP 523 U/L, CA 19–9 15.2 U/L

MRCP findings (Fig. 1)

Cholangiocarcinoma in mid–CBD (segmental length: 1.5 cm) Short segmental enhancing wall thickening on mid–CBD

ERCP findings

- Abrupt luminal narrowing of bile duct at mid–CBD (Fig.2A)
- SpyGlass DS catheter and biopsy forceps located at mid–CBD (Fig. 2B)

SOC description **(Video 1)**

– Tortuous dilated vessels with infiltrative stricture **(Fig. 3A, 3B, 3C)**
– SpyGlass DSII–guided forceps biopsy using SpyBite MAX **(Fig. 3D)**

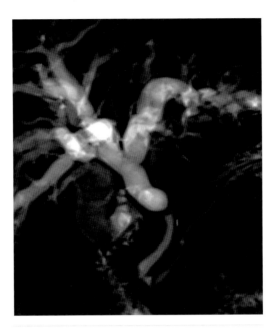

Figure 1

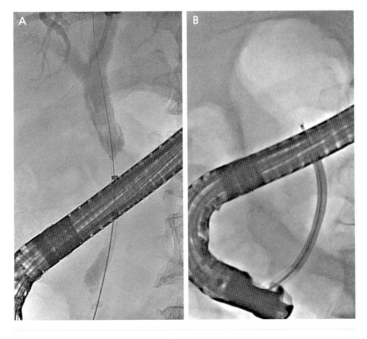

Figure 2

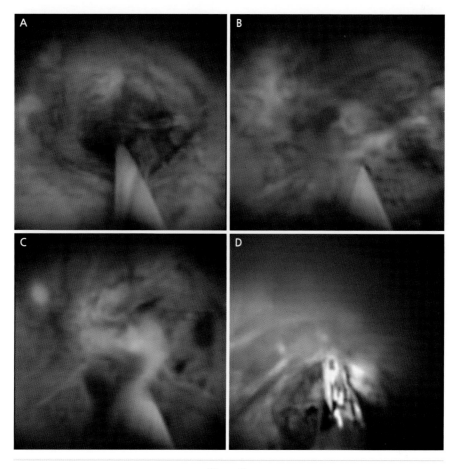

Figure 3

▶ Video 3-2-11

Pancreatic diseases

Benign pancreatic diseases

> ### Pancreatic duct stone

Age / Sex

45 / M

Chief complaints

Recurrent pancreatitis

CT (Fig. 1A) and MRCP (Fig. 1B) findings

Chronic calcifying pancreatitis with impacted stone in distal portion of main pancreatic duct (MPD) and dilated upstream duct

ERCP findings (Fig. 2)

SpyGlass DS catheter and probe of laser lithotripsy for stone in distal portion of MPD

SOC description (Fig. 3, Video 3-3-1)

Laser lithotripsy for the pancreatic duct stone

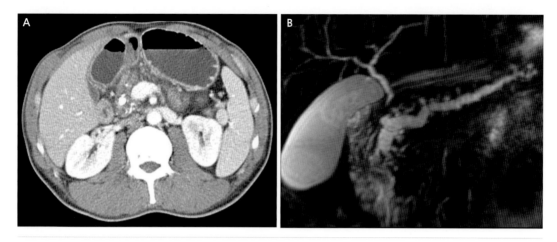

Figure 1

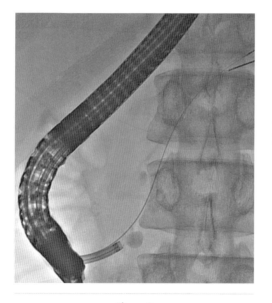

Figure 2

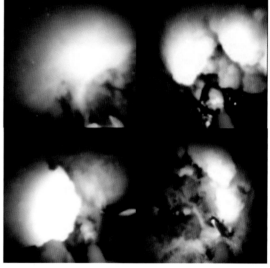

Figure 3

▶ Video 3-3-1

Electrohydraulic lithotripsy for pancreatic duct stones

Age / Sex

49 / M

Chief complaints

Recurrent epigastric pain and pancreatitis

Laboratory Findings

Amylase/lipase 69.9/69.8, Glucose 156, CRP 0.28

CT findings (Fig. 1)

Ductal stones (arrow) in the head of pancreas and upstream ductal dilatation

MRCP (Fig. 2)

Intraductal stones (arrow) in the pancreatic head with ductal dilatation

Endoscopic pancreatic sphincterotomy and pancreatic stenting

ESWL was done

ERCP (Fig. 3) and SOC (Fig. 4)

– Pancreatic ductal stones were not fragmented enough to be extracted (arrows in **Fig.3**)
– SpyScope was inserted to the pancreatic duct after dilatation of the orifice by using 6 mm dilatation balloon
– Pancreatic duct stones were fragmented by using EHL probe under direct visualization (arrow in **Fig. 4**)
– Fragmented stones were removed with basket

Conclusion

Spyglass–assisted pancreatic duct lithotripsy can be applied in select patients

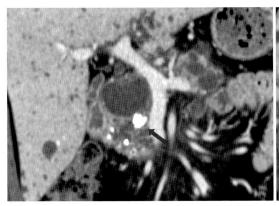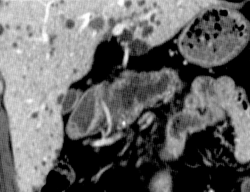

Figure 1

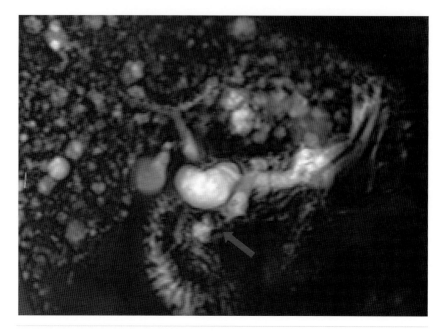

Figure 2

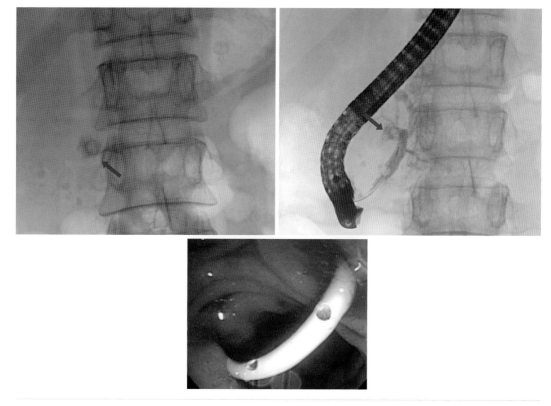

Figure 3

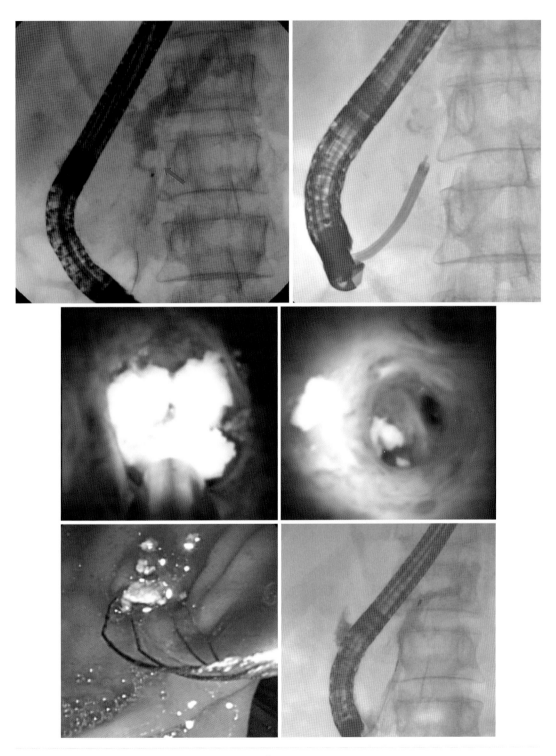

Figure 4

Malignant and premalignant pancreatic diseases

Main duct IPMN

Age / Sex

70 / M

Brief present illness

- Acute recurrent cholangitis that was previously treated with ERCP at out hospital 5 years ago.
- History: cholecystectomy for cholecystitis (10 years ago)

US/EUS/CT/MR

- CT: several stones within dilatated CBD and main p–duct (MPD) dilatation, about 10 mm in diameter without intraductal mass or stones **(Fig. 1A)**
- MRCP: MPD dilatation but not any intra–ductal mass or stone **(Fig. 1B)**.
- EUS: a tumorous lesion, approximately 8 mm in size, in the MPD **(Fig. 1C)**.
- ERCP: removal of CBD stones and examination of the MPD, "fish–mouth appearance" of the pancreatic opening **(Fig. 1D)**.

SOC finding

- After CBD stone removal, SpyGlass was performed to identify the cause of MPD dilatation.
- SpyGlass: a mucin–producing papillary tumor in the MPD of the pancreatic head **(Fig. 1E)**. diffuse MPD dilatation with scar change expand to the tail, no another tumorous lesion within MPD **(Fig. 1F)**.
- Intraductal biopsy using Spybite and pathology: an intraductal papillary mucinous neoplasms.

Pathology

- Pylorus preserving pancreatico–duodenectomy and final pathology:
  IPMN with intermediate–to–high grade dysplasia, no lymph node involvement, and negative resection margin **(Fig. 2)**.

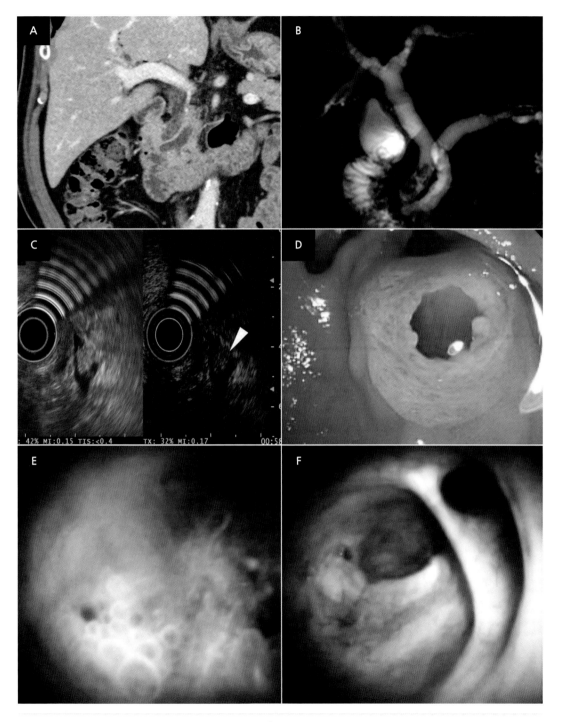

Figure 1

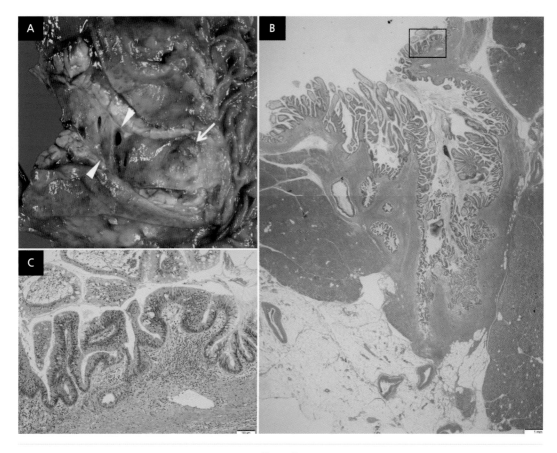

Figure 2

▶ Video 3-3-2

Mixed type IPMN (M/84)

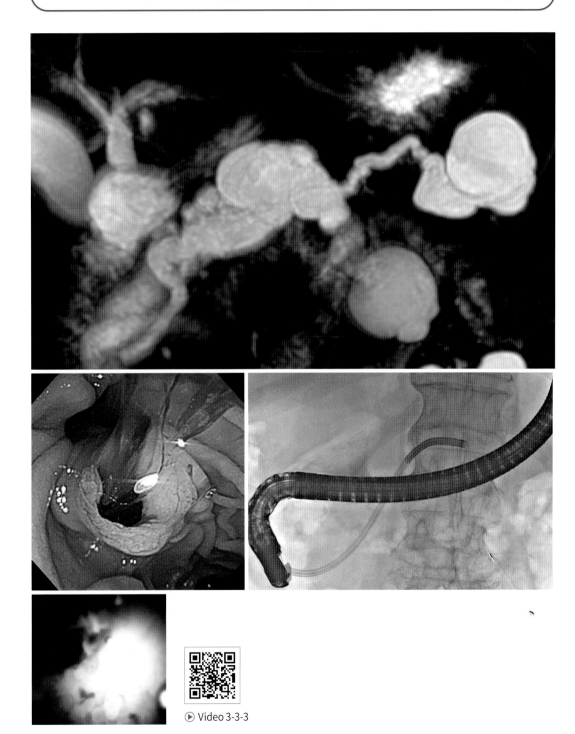

▶ Video 3-3-3

Pancreatoscopy using the SpyGlass DS system for the evaluation of intraductal papillary mucinous neoplasm of the pancreas

Age / Sex

69 / M

Chief Complaints

Abdominal discomfort

MRCP findings

Cystic mass at pancreas head portion(about 2 cm) (red arrow) with subtle tiny mural nodules & dilatation of main pancreatic duct **(Fig. 1A–C)**

ERCP findings

Abrupt pancreatic duct stricture on head of the pancreas **(Fig. 2A)** and advancing the SpyDS scope (black arrow) into the main pancreatic duct **(Fig. 2B)**

SOC findings

Stricture with circumferential papillary mass **(Fig. 3A–C)**

Pathologic findings

Intraductal papillary mucinous neoplasm with low–grade dysplasia

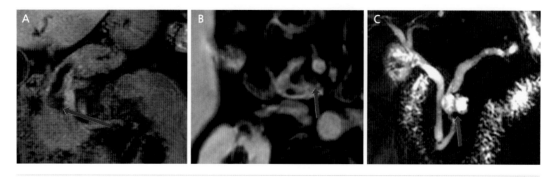

Figure 1

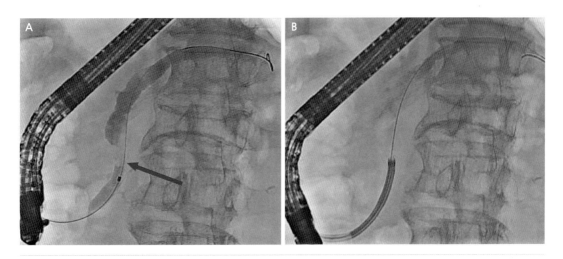

Figure 2

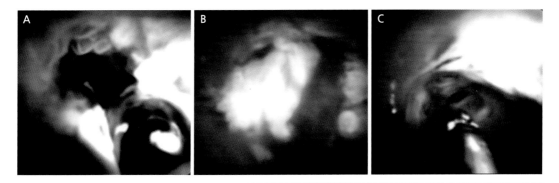

Figure 3

01. Coverage by National Health Insurance

Coverage by National Health Insurance

 SpyGlass™ DS 급여기준

1) SpyGlass™ DS 치료재료 고시

급여코드	보험고시	평가결과	
		급여여부	상한금액(원)
J4085001	SPYGLASS DS CATHETER	선별급여 (본인부담률 80%)	1,960,790

2) SpyGlass™ DS 급여기준

(1) 담도 및 췌장 병변의 진단검사

악성종양이 의심되어 내시경적 역행성 담(췌)관조영술로 조직검사 또는 세포진 검사(Cytology Brush)를 시행하였으나 확진되지 않은 경우

(2) 담(췌)석 제거

난치성 담(췌)관 결석 또는 거대 담관 결석에서 자776라 담(췌)석 제거술 실패 후 재시행한 경우

(3) 담(췌)관 협착

역행성 담췌관 내시경 수술(자776나, 자776다, 자776라) 시 담(췌)관 협착으로 가이드와이어(guide wire)가 통과 되지 않아 더 이상의 진단 또는 치료 시술을 시행할 수 없는 경우

*급여개수: 치료기간 중 1개

**자776나: 역행성 담췌관 내시경 수술–담(췌)관배액술(Q7762)

　자776다: 역행성 담췌관 내시경 수술–내시경적 담(췌)관 협착확장술(Q7763)

　자776라: 역행성 담췌관 내시경 수술–내시경적 담(췌)석제거술

　　– 바스켓 또는 풍선카테터이용, 기계적쇄석술 시(Q7764)

　　– 전기수압쇄석술 시(Q7765)

3) SpyGlass™ DS 행위 상대가치점수

나–762	E7622	제4절 내시경, 천자 및 생검료 [내시경] 내시경적 역행성 담췌관조영술 [방사선료 포함] 나. 경유두적 담(췌)관경검사 　(1) 모자내시경형 담(췌)관경검사	6,201.46
신설	E7623	(2) 도관 기반의 담(췌)관경검사	5,377.25